Chères lectrices

Bienvenue d... ...e grande fresque familia... ...ux récits de la littératur... ...emis, les Whitmore et le... ...l'intrigue dans le monde *fascinant*... ...ens — un univers raffiné, mais aussi sans pitié — en mettant aux prises des personnages passionnés autour d'une pierre précieuse extraordinaire : l'Opale noire.

L'héroïne de cette saga est une jeune fille hors du commun que j'ai appelée Gemma, car son caractère et sa beauté me semblent d'une pureté aussi rare et précieuse que celle d'une opale.

A la recherche de ses origines, et avec l'Opale noire pour seul indice, Gemma va faire la connaissance du clan des Whitmore. Elle est loin de se douter des remous qu'elle va susciter dans cette famille : chez Nathan, dont elle va devenir la femme, mais aussi dans son entourage. En effet, en même temps qu'elle va éclaircir le mystère de sa naissance, Gemma va changer le destin des Whitmore et le lier définitivement à celui des Campbell... Des bouleversements qui aboutiront, bien sûr, à un heureux dénouement !

Je vous laisse maintenant découvrir le deuxième des six romans de la série « Secrets et Scandales » que vous aurez, j'espère, autant de plaisir à lire que j'en ai eu à l'écrire !

Miranda Lee

MIRANDA LEE

Miranda Lee est australienne, et vit non loin de Sydney. Née et élevée dans le Bush, elle a fait toute sa scolarité dans une école religieuse avant de se consacrer à l'étude du violoncelle. Plus tard, elle change radicalement de voie et s'installe à Sydney, décidée à faire carrière dans le monde tout nouveau de l'informatique. Un mariage heureux et la naissance de ses trois filles la détournent progressivement de sa vie professionnelle. Elle se consacre alors avec plaisir à la vie de famille, qui va lui permettre, en restant à la maison, de découvrir un autre univers : celui de l'écriture.

Depuis, Miranda Lee a publié une cinquantaine de romans qui se sont vendus à plus de dix millions d'exemplaires dans le monde. Chacun de ses livres incarne son style très particulier : un rythme vif, des situations sexy, des personnages passionnés et des intrigues captivantes. Sa devise : ne jamais ennuyer le lecteur ! D'ailleurs, ses millions de lectrices et de fans dans le monde entier en témoignent : les romans de Miranda Lee vous tiennent en haleine du début à la fin. Heureuse, bien entendu !

Résumé du roman précédent...

A la mort de son père, un chercheur d'opales, Gemma Smith trouve une pierre d'une beauté exceptionnelle dans les affaires de celui-ci. Mais sa surprise ne s'arrête pas là : la découverte d'une vieille photo lui fait soupçonner qu'un mystère entoure sa naissance. Résolue à en savoir plus, Gemma quitte sa campagne profonde pour Sydney, non sans avoir emporté la mystérieuse opale dans l'espoir de la vendre aux Whitmore, les célèbres joailliers.

C'est là qu'elle rencontre Nathan Whitmore, le bras droit et fils adoptif de Byron, le P.-D.G. de Whitmore Opals. Touché par la vulnérabilité de Gemma, Nathan lui offre un très bon prix pour l'opale qu'elle souhaite lui vendre, dans laquelle il reconnaît une pierre volée à Byron près de vingt ans plus tôt, l'Opale noire. Et, contre toute attente, il lui propose un emploi de jeune fille au pair auprès de sa fille, Kirsty.

Installée à Belleview, la luxueuse propriété des Whitmore, Gemma ne tarde pas à tomber amoureuse de Nathan et s'offre à lui, en dépit des mises en garde de son entourage... Elle va même jusqu'à accepter de l'épouser. Mais que peut-on attendre d'un mariage quand on connaît si peu son futur époux et, pire encore, que l'on en sait si peu sur son propre passé ?

*Cet ouvrage a été publié en langue anglaise
sous le titre :*
DESIRE AND DECEPTION

Traduction française de
JEAN-BAPTISTE ANDRÉ

HARLEQUIN®

est une marque déposée du Groupe Harlequin
et Azur® est une marque déposée d'Harlequin S.A.

*Illustrations de couverture
Opéra de Sydney :* © PETER ADAMS / GETTY IMAGES
Couple : © ROLF BRUBERER / CORBIS

*Toute représentation ou reproduction, par quelque procédé que ce soit, constituerait
une contrefaçon sanctionnée par les articles 425 et suivants du Code pénal.*
© 1994, Miranda Lee. © 2003, Traduction française : Harlequin S.A.
83-85, boulevard Vincent-Auriol, 75013 PARIS — Tél. : 01 42 16 63 63
Service Lectrices — Tél .: 01 45 82 47 47
ISBN 2-280-04991-0 — ISSN 0993-4448

MIRANDA LEE

Les liens du désir

COLLECTION AZUR

Les principaux personnages de ce livre :

Gemma Smith : A la mort de son père, un chercheur d'opales, Gemma découvre une pierre d'une beauté exceptionnelle, ainsi qu'une photo jaunie qui jette un doute sur sa véritable identité. Dans l'espoir de découvrir la vérité, elle se rend à Sydney où elle tombe amoureuse de Nathan Whitmore.

Nathan Whitmore : Fils adoptif de Byron Whitmore, Nathan dirige la prestigieuse société Whitmore Opals. Son enfance malheureuse a fait de lui un homme aux manières brusques et glaciales. Sa rencontre avec Gemma lui permettra-t-elle de s'ouvrir à l'amour ?

Jade Whitmore : Gâtée et effrontée, elle est la fille de Byron et de son épouse décédée, Irene. Même si ses manières rebelles n'en laissent rien soupçonner, Jade rêve que son père lui fasse enfin confiance et la laisse travailler à ses côtés.

Kyle Armstrong : Le nouveau directeur du marketing de Whimore Opals, aussi séduisant qu'énigmatique, se montre peu loquace sur son passé. Se serait-il introduit dans le clan Whitmore pour servir ses propres intérêts ?

Byron Whitmore : Veuf depuis peu, Byron est le patriarche tyrannique du clan Whitmore.

Lenore Langtry : Ex-femme de Nathan et mère de Kirsty, cette talentueuse actrice de théâtre a une liaison passionnée avec le meilleur avocat de Sydney, Zachary Marsden.

Kirsty Whitmore : Agée de quatorze ans, l'exubérante jeune fille ne s'est jamais remise du divorce de ses parents.

Ava Whitmore : La jeune sœur de Byron, une femme douce et généreuse, souffre de sa solitude, de sa peur de l'échec et de ses kilos en trop.

Melanie Lloyd : La gouvernante de la famille Whitmore a perdu toute joie de vivre depuis la mort tragique de son mari et de leur seul enfant.

1.

Jade se réveilla, confuse et désorientée.

« Où suis-je ? » se demanda-t-elle, encore assommée par les somnifères.

Alors elle se rappela. Elle était de retour dans sa chambre d'enfant à Belleview. De retour à la maison.

— Oh, non, marmonna-t-elle en se levant péniblement et en titubant, nue, jusqu'à la salle de bains. Oh, non ! répéta-t-elle en avisant son reflet dans la glace.

Ses cheveux blonds, coupés court, se dressaient en épis rebelles et anarchiques. Ses yeux, d'ordinaire d'un bleu sombre, semblaient noirs tant son visage était pâle. Mais, plus que tout, ce furent les ecchymoses sur ses seins qui attirèrent son attention. Sur le coup, elle ne s'était pas rendu compte…

Jade les fixa en frissonnant violemment. Soudain, l'horreur de ce à quoi elle avait échappé lui revint avec force, et elle se laissa tomber à genoux contre la baignoire. Une brusque nausée s'empara d'elle ; pendant un instant, la pièce parut tournoyer. Puis le malaise passa, mais elle décida par prudence de rester assise quelques minutes encore.

Jamais elle n'aurait dû laisser Roberto utiliser sa chambre d'amis pendant qu'il se cherchait un appartement. Et jamais elle n'aurait dû le laisser organiser cette petite fête la veille au soir.

Elle n'avait pas vu venir le danger. Et comment l'aurait-elle pu ? Après tout, Roberto était gay, de même que tous les amis de celui-ci. Jade avait constaté que la plupart des homosexuels étaient intelligents, sensibles, courtois, d'une agréable compagnie. Des amis sûrs pour une femme.

A l'exception de l'un d'entre eux.

Une vague d'effroi la submergea de nouveau, suivie d'une nouvelle attaque de nausée. Cette fois, elle se leva, ouvrit grand les robinets de la douche et se mit sous le jet, les yeux fermés, le visage levé, concentrée uniquement sur l'effet vivifiant de l'eau qui lui picotait la peau. C'était l'une de ces techniques qu'elle avait apprises longtemps auparavant pour gérer son stress — quand une chose la faisait souffrir, elle la chassait de son esprit et se concentrait sur des détails anodins : manger, se laver, dormir.

Mais pour la première fois, ce fut en vain. Car elle ne parvenait pas à oublier la main sur sa bouche, le bras qui s'était refermé sur ses seins, les mots effroyables chuchotés contre son oreille. Si elle n'avait pas réussi à frapper son agresseur sous la ceinture, Dieu seul savait comment l'affaire se serait terminée.

Toujours était-il qu'elle était parvenue à se libérer de son étreinte et s'était retrouvée libre. Elle s'était enfuie en courant, vêtue d'un simple peignoir de soie, avait bondi dans sa voiture et foncé à Belleview. Une nouvelle fois, elle avait eu de la chance de ne pas croiser de voiture de police. Elle imaginait sans peine le spectacle qu'elle aurait offert, à demi nue, traînée au poste pour conduite dangereuse. Elle se représentait également sans mal la mine sombre de Nathan, s'il avait dû venir la chercher avec l'avocat de la famille. Comme la dernière fois…

A cette exception près que, la fois précédente, elle avait été arrêtée pour détention de drogue. Zachary Marsden l'avait également défendue à cette occasion.

Bien sûr, la marijuana trouvée dans la boîte à gants de sa voiture ne lui appartenait pas. Jade détestait en effet toute forme de paradis artificiel. Les quelques grammes appartenaient à un ami qui avait soi-disant décroché... Zachary Marsden, fort heureusement, était le meilleur avocat de la ville — c'était pourquoi son père l'employait — et n'avait pas eu de mal à la tirer de ce mauvais pas. Il avait également cru dès le départ à son innocence, et elle regrettait de ne pas pouvoir en dire autant de Nathan.

Son frère adoptif était le roi des hypocrites. Tout comme leur père, Byron Whitmore, il prêchait de grandes et belles vertus morales. Mais Jade savait pertinemment quel genre de vie il avait mené avant d'être adopté. Ce qui n'avait jamais empêché Nathan de lui reprocher sa vie dissolue et sa sexualité provocante.

Jade en aurait sans doute ri en d'autres circonstances, car Nathan exsudait la sensualité. Elle ne connaissait aucune femme qui ne l'eût pas désiré à un moment où à un autre. Y compris elle-même.

Elle ferma les robinets, un sourire amer aux lèvres. Les gens plaignaient en général Nathan à cause de son passé. Mais Jade savait qu'il ne regrettait rien de l'existence décadente qu'il avait menée avec sa folle de mère. Oui, c'était un opportuniste, qui avait su s'attirer les bonnes grâces de Byron, se faire adopter et assurer ainsi son avenir. Il avait décroché un poste que son absence de diplômes, en d'autres circonstances, ne lui aurait jamais permis d'avoir. Les gens le disaient intelligent, et il l'était sans doute : n'importe qui, après tout, n'était pas capable d'écrire une pièce de théâtre par an sur son temps libre. Pièces de théâtre qui, de surcroît, récoltaient les louanges de la critique. Mais il n'avait même pas son baccalauréat, et bien évidemment pas le moindre diplôme universitaire, ce qui était précisément ce que son père avait exigé de Jade si elle voulait entrer à Whitmore Opals.

Une chose était sûre : l'intelligence de Nathan résidait dans sa capacité à analyser les gens et à jouer de leurs faiblesses.

Depuis le début, Nathan avait dupé son père adoptif en lui laissant croire qu'il menait une vie exemplaire. Byron n'avait rien vu de ce qui s'était passé sous son propre toit depuis qu'il avait accueilli ce sex-symbol à Belleview, des années plus tôt.

Cet aveuglement était peut-être simplement dû au fait que Byron passait si peu de temps chez lui. Il était en effet drogué de travail et l'attention qu'il portait à sa famille ne se manifestait généralement que sous la forme d'explosions de colère ou d'impatience. Il ignorait tout des sentiments de chacun, de leur nature réelle. Il attribuait par exemple l'échec du mariage de Nathan à Lenore, alors qu'aucune femme digne de ce nom n'aurait pu supporter un tel tyran.

Mais c'était une autre des qualités de Nathan. Se faire aimer d'autrui, pouvoir projeter une image totalement fausse de sa personne si cela servait ses fins. Elle-même l'avait adoré pendant des années. Vénéré, même. Et elle avait supposé qu'il l'aimait aussi. Mais cela avait duré tant qu'elle était restée une gamine inoffensive. Lorsqu'elle était devenue une femme, avec des désirs et des attentes de femme, il lui avait tourné le dos...

Ce n'était pas qu'il ne la désirait pas. Bien au contraire. Il avait dû faire appel à toute sa volonté, en effet, pour se retenir au dernier moment de lui faire l'amour, quelques mois plus tôt. Et s'il s'était ressaisi, c'était qu'il savait qu'une liaison avec elle mettrait en péril ce qu'il désirait le plus au monde : Whitmore Opals. La fortune des Whitmore.

Jade étant la seule enfant naturelle de Byron, Nathan s'imaginait qu'il avait de bonnes chances de se voir confier le contrôle de Whitmore Opals. Byron était en effet un misogyne consommé, qui estimait que la place d'une femme était à la maison et certainement pas dans un conseil d'administration.

Ses diatribes incessantes à l'encontre de Celeste Campbell en témoignaient assez.

Jade, pour sa part, admirait secrètement la présidente de Campbell Jewels. Celeste était une femme de tête, séduisante et aussi courageuse dans la conduite de ses affaires que dans sa vie privée. A sa place, un homme aurait été universellement admiré et salué. Au lieu de cela, elle était traitée de garce par ses détracteurs, et ses amants, souvent plus jeunes qu'elle, étaient qualifiés de « jouets sexuels ».

Jade se rappelait pertinemment que Nathan lui avait prédit un destin semblable à celui de Celeste. C'était l'hôpital qui se moquait de la charité ! Car, contrairement à lui, elle pouvait compter ses petits amis sur les doigts d'une main…

D'un geste indigné, elle arracha la serviette du portant et se frotta vigoureusement. Ses seins se rappelèrent douloureusement à elle, et elle baissa de nouveau les yeux vers ses bleus. Puis elle fondit brusquement en larmes.

Il lui fallut un certain temps avant de reprendre ses esprits, et de se sentir de taille à affronter sa famille. Quittant le sanctuaire de sa chambre, elle descendit l'immense escalier de marbre, étonnée du silence qui régnait dans la maison. Où donc était passé tout le monde ? Avec un soupir, elle prit le chemin de l'aile qui abritait la cuisine et la buanderie, certaine d'y trouver Melanie.

Elle ne s'était pas trompée. La gouvernante était occupée à remplir le lave-vaisselle. Sa robe noire et sinistre offrait un étonnant contraste avec la cuisine récemment rénovée, d'une blancheur immaculée. Jade s'imagina fugitivement Melanie en gouvernante de roman gothique, hantant les couloirs désolés d'un château lugubre, avec pour seule lueur dans ses yeux sombres le reflet vacillant d'une chandelle. La vision fut si vive et si évocatrice qu'elle en frissonna.

Melanie se redressa, pivota et l'aperçut enfin.

— Bonjour, Jade, dit-elle de sa voix monocorde. J'ai garé votre voiture dans le garage. Il semble que vous ayez eu du mal à le trouver hier soir.

— Pardon ? Oh, oui, merci… J'étais un peu, euh…

— Aveuglée ? suggéra Melanie.

Jade se mit à rire. S'il y avait bien une chose immuable, c'était le regard critique que tout le monde portait sur elle à Belleview. Elle n'attendait ici ni compassion ni soutien moral. A quoi bon essayer d'expliquer à Melanie que, aveuglée par les larmes, elle s'était arrêtée au beau milieu de l'allée et avait couru se réfugier à l'intérieur, avant d'avaler assez de somnifères pour assommer un bœuf ?

— Est-ce que vous resterez dîner ? reprit la gouvernante.

— Si ça ne vous dérange pas.

Jade espérait en effet convaincre Nathan de retourner chez elle pour voir si Roberto et ses amis y étaient toujours. Il fallait bien qu'un grand frère, fût-il adoptif et détestable, servît à quelque chose.

— Non, ça ne me dérange pas. Demain, en revanche, est mon jour de congé. Il faudra vous débrouiller seule ou demander à votre tante de vous faire la cuisine.

— Ava ? Seigneur, non ! Elle cuisine aussi mal qu'elle peint ! Où est-elle d'ailleurs ? Et tout le monde ? On se croirait dans une morgue.

La gouvernante lui jeta un regard sombre, puis se retourna vers la machine. Machinalement, Jade leva les yeux vers l'horloge. Il était 14 h 50. Les somnifères l'avaient donc fait dormir douze heures.

— Nathan n'est pas là, si c'est lui que vous cherchez, lui apprit Melanie. Il a emmené Kirsty et Gemma en week-end à Avoca.

— Gemma ? répéta-t-elle, incapable de se souvenir du contexte où elle avait entendu ce nom. Qui est-ce ?

— La jeune femme qui s'occupe de Kirsty. Kirsty est venue vivre ici quelque temps.

— Oh ? Pourquoi ça ? Lenore s'est enfin trouvé quelqu'un ?

Après douze ans passés avec Nathan, supposait Jade, il lui était certainement difficile de trouver un homme qui fût à la hauteur. Malgré tous ses défauts, en effet, Nathan avait la réputation d'être une véritable bombe au lit.

— Je ne connais pas la vie privée de Lenore, répondit Melanie d'un ton réprobateur. Elle était simplement lasse du comportement de Kirsty, et a décidé que quelques semaines en compagnie de son père ne lui feraient pas de mal. Mais, comme Nathan travaille presque tous les jours, il a décidé d'engager quelqu'un pour s'occuper de sa fille.

— Je parie que Kirsty est ravie, à quatorze ans, d'avoir quelqu'un sur le dos, dit Jade en riant.

Puis la lumière se fit brusquement dans son esprit, et elle demanda :

— Gemma, ce ne serait pas cette jeune femme sexy aux immenses yeux bruns ?

Melanie hocha la tête et Jade expliqua :

— Je suis passée ici il y a deux semaines. Nathan descendait justement de voiture. La nymphette en question était avec lui. Il lui a fait son numéro de père protecteur et responsable, mais je crois qu'elle est la seule à s'y être laissée prendre. Elle habite ici ?

Melanie acquiesça et Jade, avec cynisme, l'imita.

— Je parie qu'elle n'est déjà plus la jeune fille innocente qu'elle était à son arrivée ?

— Je ne parierais pas là-dessus, déclara Melanie. Gemma a beaucoup de caractère.

Le ton admiratif de Melanie prit Jade de court. Sa curiosité n'en fut qu'excitée.

— Parlez-moi d'elle. Où Nathan a-t-il dégotté cette perle de Gemma ?

— Faites attention… Vos griffes sont un peu voyantes…

Jade se mit à rire, incapable de nier la chose. Peut-être ne s'était-elle pas complètement remise de l'attitude de Nathan envers elle.

— C'est bon, reconnut-elle. A m'écouter, on pourrait croire que je suis jalouse. Alors, d'où vient-elle ?

— Lightning Ridge.

— La ville minière pas loin de Bourke ?

— C'est ça. Nathan était allé acheter des opales pour Byron et Gemma lui en a vendues. Je crois que son père a été tué il y a peu dans un accident. Elle a vendu tout ce qu'elle avait pour se rendre à Sydney. Nathan lui a donc proposé un travail.

— Et quelle femme refuserait une telle offre venant de lui ? N'en dites pas plus, je crois que j'ai compris le tableau.

Melanie poussa un soupir irrité, et Jade enchaîna :

— Vous pouvez soupirer autant que vous voulez, mais j'ai bien vu la façon dont elle regardait Nathan, l'autre fois. Vous allez me faire croire qu'elle n'est pas éperdument amoureuse de lui ?

— Tout ce que je dis, c'est que c'est une jeune femme très discrète.

— Ce qui veut dire que je ne le suis pas ?

— Ne transformez pas mes paroles, Jade. Je ne me permettrais pas de porter un jugement sur vous. Après tout, je ne vous connais que depuis deux ans, et vous n'avez pas été là très souvent.

— Je suis sûre que vous n'avez pas besoin de ma présence pour entendre tout le mal que l'on dit sur moi. Ma mère adorait déverser son fiel sur mon compte. Et tout ce que vous avez entendu, je dois l'avouer, est vrai. Les escapades nocturnes pour rencontrer des garçons quand j'avais quinze ans… Tout ! Je suis le mouton noir de la famille, Melanie.

— Vous et moi savons pertinemment que ce n'est pas vrai, répondit l'intéressée, la prenant de court. Vous n'êtes pas aussi rebelle et sauvage que vous voulez bien le laisser croire. Et si vous l'avez été, c'était uniquement pour faire payer à vos parents leur manque d'amour et leurs transgressions, réelles ou imaginaires.

— Eh bien... Vous êtes la psychiatre de la maison ?

— J'ai eu ma dose de psychiatres, répondit Melanie d'un ton neutre.

Un courant de sympathie pour cette femme jeune et pourtant si triste chassa la colère de Jade. Elle savait que le mari et le bébé de Melanie avaient été tués sous ses yeux dans un accident de voiture. Mais la chose, aussi atroce fût-elle, s'était déroulée il y avait des années de cela. N'était-il pas temps de se remettre à vivre ? Sinon, autant se jeter de la première falaise venue.

Jade elle-même savait qu'elle ne commettrait jamais un tel acte. Elle n'était pas du genre à s'abaisser à ce point. La vie était faite pour être vécue, bon sang, et c'était bien ce qu'elle comptait faire ! Au diable Nathan, au diable son père, au diable ce qui s'était passé la veille. Et au diable sa mère. Irène était probablement en enfer, de toute façon.

— Tout va bien ? demanda Melanie.

— Bien sûr.

Jade secoua la tête pour s'éclaircir les idées, en souvenir du temps pas si lointain où elle avait eu les cheveux longs et châtains. Après son fiasco avec Nathan, elle était allée les faire couper court et teindre en blond. Assez étrangement, ce style outrancier paraissait plaire aux hommes.

— Je vais très bien, mentit-elle.

— On ne dirait pas. Vous avez une mine épouvantable.

— Oh, c'est à cause des somnifères. Ils me laissent toujours vaseuse.

— Vous ne devriez pas en prendre. Vous ne devriez même pas en avoir.

Jade la fixa avec surprise, se demandant si Melanie avait déjà fait une overdose de somnifères. Une soudaine impulsion la poussa à gagner l'amitié de cette femme dont elle avait toujours eu pitié sans vraiment l'aimer. Elle avait à présent envie de la connaître mieux, mais comment faire ? Par où commencer ? Elles n'étaient même pas de la même génération. Melanie devait avoir plus de trente ans !

— Ne parlons pas de choses désagréables, reprit-elle d'un ton badin. Que devient Ava ? Je suppose qu'elle est enfermée dans son studio, à rêver d'un prince charmant qui viendrait l'enlever sur son beau cheval blanc ? Est-ce qu'elle a terminé l'une de ces œuvres infernales ?

— Je pensais que vous vous préoccuperiez davantage de savoir comment va votre père.

— J'ai dit : pas de choses désagréables. Avec un peu de chance, papa va rester à l'hôpital un petit moment encore. Je supporte de lui rendre visite là-bas. C'est même amusant de le voir avec sa jambe dans une attelle. Evidemment, je ne l'ai pas vu depuis quinze jours. Nous avons eu une grosse dispute sur ma coupe de cheveux, la dernière fois. Qu'a-t-il fait, depuis ? Il s'est de nouveau blessé en poursuivant une infirmière ? Je suppose qu'il a dû tenter sa chance avec chacune. Sauf peut-être l'infirmière en chef. Une vraie cosaque, celle-là…

Melanie sourit, et Jade ouvrit des yeux ronds d'étonnement. La gouvernante était particulièrement séduisante lorsqu'elle souriait. Ses yeux pétillaient, ses dents blanches apparaissaient sous l'incarnat de ses lèvres, qu'étirait un sourire étonnamment sensuel. Jade en fut sidérée. Melanie, sexy ? C'était bien le dernier adjectif qu'elle lui aurait attribué. Et pourtant…

Jade la regarda, la regarda vraiment pour la première fois, lui ôtant mentalement sa robe noire et informe. Melanie avait les épaules fines, les seins généreux, la taille étroite qui s'épanouissait sur des hanches aux proportions parfaites. Ses jambes, du moins ce qu'elle pouvait en voir, étaient longues et fines. Même les affreux collants beiges qu'elle portait ne pouvaient dissimuler ce fait.

A quoi ressemblerait Melanie dans un fourreau noir, du rouge brillant aux lèvres, des pendants d'oreilles se balançant contre son cou long et gracile ? Tous les habitants de Belleview en auraient certainement le souffle coupé, son père inclus. Même lui ne reconnaîtrait pas sa prude et austère gouvernante.

Jade, à cette idée, ne put retenir un sourire. Il n'était peutêtre pas si mal, après tout, que Melanie fût ce qu'elle était, étant donné ce qui s'était passé entre la dernière gouvernante de Belleview et le maître des lieux. Jade avait éprouvé un choc énorme en les découvrant dans les bras l'un de l'autre. Son père, qu'elle idolâtrait, qui se posait en gardien d'une morale infaillible, avait une liaison avec sa gouvernante, pendant que sa femme passait ses nerfs de maniaco-dépressive dans un établissement spécialisé…

Byron avait bien essayé de se justifier, d'expliquer qu'il avait juste embrassé la gouvernante dans un moment de faiblesse mais qu'il n'avait pas couché avec elle. Jade, pour sa part, n'avait lancé aucune accusation. Elle l'avait simplement regardé, incapable de comprendre, incapable de lui pardonner, quelles qu'aient été les circonstances.

Son père avait réglé l'affaire en renvoyant l'infortunée gouvernante — une injustice supplémentaire aux yeux de Jade. Puis il avait engagé Melanie. Mais Jade n'avait plus jamais considéré Byron du même œil depuis ce jour. Elle avait cessé de prêter attention à ce qu'il lui disait, cessé d'obéir à ses ordres. Elle avait suivi sa propre voie, commis ses propres erreurs. Et elle était sûre, en agissant ainsi, de n'avoir jamais fait de tort à personne. Au contraire de Byron ou de Nathan.

Un étrange martèlement, lent et régulier, la tira de ses réflexions. Intriguée, Jade pivota sur son tabouret et vit son père qui approchait, clopin-clopant, appuyé sur une canne. Leurs regards se croisèrent, et Jade écarquilla les yeux au moment où Byron les plissait. L'atmosphère, en une fraction de seconde, parut s'électriser.

— Vous ne m'avez pas laissé le temps de vous annoncer la nouvelle, reprit Melanie tranquillement. Votre père est rentré de l'hôpital hier.

2.

— On dirait que tu as changé d'avis ? ironisa Byron. Je croyais que tu ne voulais plus remettre les pieds ici.

— Bonjour à toi aussi ! rétorqua Jade avec l'entrain affecté dont elle usait en situation de stress.

Que diable son père faisait-il ici ? Quinze jours plus tôt, on lui avait dit à l'hôpital qu'il ne pourrait pas rentrer avant un mois. Elle aurait dû deviner qu'il trouverait un moyen de sortir avant la date prévue.

— Tu comptes auditionner pour le rôle de Barbe-Noire ? interrogea-t-elle en montrant sa canne.

Byron pénétra en boitant dans la cuisine, un noir sourire aux lèvres.

— Un jour, tu déverseras ton insolence sur la mauvaise personne. J'espère être là pour voir ça. Melanie, j'attends un visiteur. Un M. Armstrong. Conduisez-le dans mon bureau dès qu'il arrivera, voulez-vous ? Et il voudra sans doute du café. Ou du thé. Demandez-lui.

— Certainement, Byron. Est-ce que ce M. Armstrong restera dîner ?

— Peut-être. Et peut-être pas. Je vous le ferai savoir.

— Qui est-ce ? demanda Jade, qui était certaine de ne jamais avoir entendu ce nom.

Byron posa son regard bleu et dur sur elle.

— Personne que tu connaisses.

Puis il l'étudia de la tête aux pieds et sa lèvre supérieure s'ourla d'un rictus méprisant.

— Bon sang, tu ne portes donc jamais de soutien-gorge ?

Tournant les talons, il s'éloigna en clopinant. Jade le regarda disparaître, furieuse. Si, elle portait des soutiens-gorge. Une fois tous les cent ans…

Elle devait bien admettre que le haut rose qu'elle avait mis ce matin la moulait comme une seconde peau, soulignant le moindre détail de ses seins. Mais elle n'avait eu d'autre choix que de remettre, au réveil, des vêtements trouvés dans sa penderie, et qu'elle n'avait pas portés depuis des années. Ils la serraient d'autant plus qu'elle avait traversé une période de semi-anorexie, à l'adolescence, avant de faire machine arrière en s'apercevant que sa poitrine avait fondu de moitié. Horrifiée, elle avait décidé de conserver sa ligne en faisant du sport plutôt qu'en s'affamant. Le résultat, c'était ce corps sculptural dont elle était aujourd'hui très fière. Elle n'avait donc aucune raison d'en avoir honte ou de le cacher sous des vêtements informes. Elle avait vingt-deux ans, que diable !

Glissant à bas de son tabouret, elle s'aperçut que son jean, en revanche, était beaucoup trop moulant, même selon ses standards. Peut-être ferait-elle bien d'aller fouiller les armoires de sa tante. Cette pauvre Ava avait toujours tendance à acheter des vêtements trop petits pour elle.

Jade se dirigeait vers le salon lorsque la sonnette d'entrée se fit entendre.

— J'y vais, Melanie ! lança-t-elle par-dessus son épaule. Je suppose que ça doit être le mystérieux M. Armstrong !

— Demandez-lui s'il préfère du thé ou du café, s'il vous plaît.

— Pas de problème.

Jade alla ouvrir la porte en chantonnant doucement. Sitôt qu'elle aperçut l'homme qui se tenait sur le seuil, cependant, un sifflement admiratif franchit ses lèvres. Leur visiteur était splendide : grand mais pas trop, des cheveux noirs et bouclés, un nez légèrement aquilin, un teint hâlé, des cils si longs qu'ils en étaient presque féminins. Son visage, qui semblait à l'instar du reste avoir été taillé dans un bloc de marbre, dégageait une séduction ténébreuse et austère.

Et il ne semblait pas le moins du monde gêné par le sifflement qu'elle avait lâché. Jade crut déceler un éclat lointain dans son regard tandis qu'il embrassait, d'un seul coup d'œil, sa tenue pour le moins aguicheuse. Mais, s'il en fut impressionné, il ne le montra pas le moins du monde. Au lieu de cela, il leva un sourcil vaguement sardonique et dit d'une voix presque aussi monocorde que celle de Melanie :

— Bonjour. J'ai rendez-vous avec M. Whitmore. Kyle Armstrong.

« Je me demande s'il y a une Mme Armstrong ? » songea Jade, sans se laisser démonter par cet apparent manque d'intérêt pour ses charmes.

Rien ne valait en effet un bon défi à surmonter. Mais elle s'interdisait de frayer avec un homme marié. Cela avait toujours été un principe. Kyle Armstrong, en tout cas, ne portait pas d'alliance. Il était cependant trop séduisant pour être célibataire. Jade estimait son âge à trente ans, trente-deux peut-être. Mais elle n'était jamais très douée pour ce genre d'exercice. Elle s'était par exemple imaginé que Roberto avait trente ans, quand il en avait près de quarante.

— Bonjour, monsieur Armstrong, répondit-elle enfin en lui tendant la main, et en lui adressant l'un de ses meilleurs sourires. Mon père m'a dit qu'il vous attendait. Si vous voulez bien me suivre…

Elle constata avec satisfaction que leur visiteur ne put cacher sa surprise en apprenant son identité. A l'évidence, il s'était imaginé la fille de Byron Whitmore sous des atours plus classiques. Ou peut-être ignorait-il tout simplement, avant de venir, que Byron avait une fille. Hypothèse d'autant plus probable que ce dernier ne s'en vantait certainement pas, étant donné la nature de leurs relations !

Tout en refermant la lourde porte d'entrée, Jade s'interrogea sur les activités du séduisant M. Armstrong. Il venait très certainement pour affaires, ce qui expliquait qu'il portât un costume, un samedi après-midi, malgré la chaleur. Son père, de plus, avait peu de relations amicales avec d'autres hommes, à l'exception peut-être de Nathan et, d'une certaine façon, de son avocat, Zachary Marsden. Mais même ces deux-là représentaient pour lui un intérêt professionnel.

— Si vous voulez bien me suivre, monsieur Armstrong.

— Kyle, corrigea-t-il machinalement, balayant l'imposant hall d'entrée du regard. Appelez-moi Kyle.

— D'accord, Kyle. Je m'appelle Jade.

— Jade, répéta-t-il.

Mais il n'ajouta rien de plus, et ne lui rendit pas le sourire qu'elle lui adressa. Jade en conçut une irritation passagère. Elle n'aimait pas les hommes qu'elle ne pouvait aisément percer à jour, surtout lorsqu'ils réagissaient de façon imprévue. Et elle comprit soudain que, contrairement à ce qu'elle avait cru quelques minutes plus tôt, elle n'aimait pas les hommes qui représentaient un défi. Elle préférait très nettement ceux qui succombaient instantanément à ses charmes et la poursuivaient de leurs ardeurs — quelquefois, même, elle aimait les amener à la supplier de leur accorder ses faveurs. Ce qu'elle ne faisait que très rarement, contrairement à l'opinion largement répandue. Elle n'avait en effet eu que deux amants durant ses années d'adolescence, et avait rompu avec le dernier bien avant que Nathan ne revienne habiter à Belleview, à la suite de sa séparation d'avec Lenore.

Elle coula un regard de biais à son compagnon, s'émerveilla une nouvelle fois de son profil parfait, de son menton décidé, de la ligne dure mais sensuelle de ses lèvres. Il ne semblait pas le genre d'homme à supplier une femme, elle était certaine de cela. D'ailleurs, il ne lui accordait pas la moindre attention.

Mais si Jade était intellectuellement offensée par l'attitude d'Armstrong, il ne lui était pas indifférent sur le plan physique. Le seul fait de le regarder faisait naître une étrange sensation au creux de son ventre, et elle n'était pas naïve ou hypocrite au point de ne pas la reconnaître. Elle avait envie de lui. Envie de lui comme elle n'avait jamais eu envie de personne — pas même de Nathan. Elle comprenait maintenant qu'elle n'avait fait, avec ce dernier, qu'effleurer la surface du désir.

Certes, elle avait essayé de séduire Nathan, mais ce n'était pas pour en tirer une satisfaction sexuelle. D'ailleurs, jamais l'amour physique ne lui avait procuré de ces sensations extraordinaires dont on parlait dans les livres. Non, en agissant ainsi, elle avait voulu retrouver l'amour et l'attention qu'il lui avait accordés lorsqu'elle était enfant.

Il était vrai que, après ce premier baiser dont elle avait été l'instigatrice quelque temps plus tôt, Nathan avait pris les choses en main et ne s'était arrêté qu'au moment de commettre l'irréparable, la laissant en proie à une telle frustration qu'elle s'était jetée dans les bras du premier venu deux jours après.

Le lendemain, elle s'était sentie vraiment honteuse. Coucher avec un homme qu'elle ne connaissait pas, après avoir trop bu qui plus est, n'était pas son genre. Elle s'était bien juré de ne pas recommencer.

Il lui fallait bien admettre, aujourd'hui, que Kyle Armstrong n'aurait aucun mal à la mettre dans son lit s'il le désirait…

Elle se prit soudain à espérer qu'il était marié. Voilà qui mettrait fin à ce désir insensé qu'il éveillait en elle. Il lui semblait que tout son corps était en feu lorsqu'elle s'arrêta enfin devant la porte du bureau et frappa.

— Oui ! tonna son père.

— M. Armstrong est là, annonça-t-elle, passant la tête à l'intérieur.

— Eh bien, fais-le entrer, ma fille ! Ne reste pas plantée là comme une potiche.

Les dents serrées, Jade s'écarta et fit signe à leur visiteur d'entrer. Elle était atterrée de constater que son cœur battait toujours la chamade, et qu'elle ne pouvait détacher ses yeux de la silhouette souple et puissante de Kyle Armstrong. Jade était habituée à ce que les hommes la déshabillent du regard, mais c'était bien la première fois qu'elle-même faisait une chose pareille ! Comment cet homme pouvait-il l'affecter à ce point sans faire le moindre effort ?

— Ne bougez pas, monsieur Whitmore, dit-il lorsque l'intéressé fit mine de se lever pour l'accueillir. Ravi de vous rencontrer enfin.

Jade vit son père étudier le visiteur, et sourire.

— Moi de même, mon garçon.

Elle corrigea mentalement l'âge qu'elle lui avait attribué. Il devait avoir moins de trente ans pour que son père l'appelât « mon garçon ».

— Je crois que tu allais partir, Jade ? reprit Byron sans délicatesse.

Elle lui décocha un sourire suave, fermement décidée à lui cacher la colère qu'il éveillait en elle.

— Melanie m'a demandé si Kyle voulait un thé ou un café.

— Tu connais Kyle ? gronda son père.

— Depuis une minute, oui.

24

Byron en fut visiblement soulagé, au point de sourire. Qu'était-il encore allé s'imaginer ? Que Kyle était un spécimen des centaines d'amants qu'on lui prêtait à Sydney ?

— Resterez-vous pour dîner ? proposa Byron. Je pense que ce serait une bonne idée. Nous n'en aurons pas forcément fini d'ici là.

— J'en serais ravi, répondit Kyle sans un regard pour Jade, qui fut soudain tentée de le gifler.

Mais il y avait un autre moyen de briser sa superbe et son indifférence. Son père voulait qu'elle portât un soutien-gorge ? Très bien. Elle en mettrait un. Plus exactement, un bustier particulièrement sexy qu'elle avait acheté pour un bal masqué quelques années plus tôt. Et si cela ne dégivrait pas M. Glacial, elle était bonne pour s'enfermer dans un couvent.

— Thé ou café ? murmura-t-elle en battant des cils comme une biche de dessin animé, quand il daigna enfin se tourner vers elle.

— Du café. Noir.

Pas une émotion n'avait traversé ses yeux. Ni amusement, ni irritation, ni intérêt d'aucune sorte. Ce type était décidément un robot. Une machine froide et asexuée.

Elle le dévisagea pendant un long moment, puis tourna les talons et claqua la porte derrière elle.

— Espèce de prétentieux, dit-elle à voix haute, tout en traversant l'entrée. Imbécile arrogant ! Crétin !

Lorsqu'elle pénétra dans la cuisine, elle en était encore à marmonner des injures, qui provoquèrent la surprise outrée de Melanie.

— De qui parlez-vous comme ça ? Pas de votre père, j'espère ?

— Non. De Kyle Armstrong.

— Oh, je vois. Vous l'avez trouvé séduisant mais il n'a pas réagi comme vous l'espériez ?

Jade lui retourna un regard abasourdi, et Melanie se mit à rire. Une nouvelle fois, elle fut stupéfaite de la transformation qui se produisait lorsque la gouvernante abandonnait sa façade morne. La jeune femme avait besoin d'un homme qui lui ferait oublier le passé, saurait la faire rire de nouveau. L'humour rendait la vie plus supportable.

— Je n'ai pas encore dit mon dernier mot, répliqua Jade en redressant le menton. M. Armstrong restera dîner ce soir.

— Oh. Et que comptez-vous faire ? Venir à table en tenue d'Eve ?

— Quelque chose dans le genre.

— Avez-vous déjà envisagé que certains hommes puissent ne pas aimer les femmes trop directes ?

Jade se retint de rétorquer que les hommes n'aimaient pas davantage les femmes qui s'habillaient en nonnes et agissaient de même.

— Je n'ai aucune intention de lui courir après. Je veux juste lui montrer ce qu'il perdra si lui ne me court pas après.

— Et s'il était le genre d'homme qui préfère le mystère ? Qui préfère deviner plutôt que de voir ? Qui préfère les femmes tout en retenue à celles qui montrent tout ?

— Je ne montre rien du tout !

— Vraiment ?

Le regard de Melanie glissa sur son jean et son haut moulant, et elle soupira.

— Certains choix vestimentaires admis dans les milieux étudiants le sont beaucoup moins dans le monde adulte. Quel âge a ce M. Armstrong ?

— Près de trente ans. Mais il se conduit comme s'il en avait dix de plus.

— Dans ce cas, si vous voulez attirer son attention, il vous faudra adopter une conduite et un… code vestimentaire différents.

— Je n'ai aucune envie de jouer les bourgeoises juste pour l'impressionner. S'il ne m'apprécie pas telle que je suis, qu'il aille au diable ! Je ne vais pas changer pour lui faire plaisir.

— Dans ce cas, il y a fort à parier que vous allez perdre la partie.

— C'est ce qu'on verra, maugréa Jade en se dirigeant vers la porte. Oh, au fait, il veut du café. Il l'aime noir. Comme moi.

Sur ce, elle quitta la cuisine et traversa le salon d'un pas décidé. Puis elle grimpa quatre à quatre l'escalier de l'entrée et se dirigea, via une galerie de bois, vers le studio d'Ava. Elle y entra sans frapper et, après avoir lancé un « bonjour » boudeur à sa tante stupéfaite, alla s'effondrer dans le vieux canapé.

— J'en ai marre de papa, grommela-t-elle. Par-dessus la tête.

— Rien de bien nouveau, à ce que je vois.

Reposant son pinceau, Ava s'approcha de sa nièce et lui sourit.

— Au moins, toi, tu n'es pas obligée de rester là, reprit-elle. Qu'est-ce que tu fais ici, d'ailleurs ? Melanie m'a dit que tu étais arrivée dans la nuit.

— Oh, je me suis juste dit que j'allais passer rendre une petite visite à ma famille. Evidemment, je ne savais pas que papa était rentré. Ni que Nathan était parti pour Avoca avec sa fille et sa petite amie.

— Sa petite amie ? répéta Ava en fronçant les sourcils. Oh, tu veux dire Gemma ? Ce n'est pas la petite amie de Nathan, mais…

— Je sais : elle est officiellement là pour s'occuper de Kirsty. Mais toi et moi savons très bien qu'elle offrira sans doute sous peu un… nouveau genre de services.

— Je crois que ça regarde Gemma et Nathan, la réprimanda gentiment Ava. Quoi qu'il en soit, je ne vois pas ce qu'il y aurait de mal à cela. Nathan est divorcé, et Gemma célibataire.

— Célibataire ? Encore heureux ! Elle sort à peine du lycée !

— Elle a presque vingt ans, Jade. Soit deux ans de moins que toi. Et tu ne semblais pas trouver Nathan trop vieux pour toi, il n'y a pas si longtemps…

— Ava ! ironisa Jade. Tu m'as espionnée ?

— Pas besoin de t'espionner, ma chérie. On ne peut pas dire que tu sois très… discrète, acheva sa tante en décochant un regard éloquent à sa tenue moulante.

Jade se redressa, sourcils froncés, et marmonna :

— Melanie m'a fait la même remarque il y a deux minutes. Mais est-ce ma faute si j'aime ce genre de tenues ? Je ne vais tout de même pas me déguiser pour faire plaisir à un imbécile !

— Oh, et qui donc est la cible de ta mauvaise humeur ?

— Un type que papa vient de recevoir. Tu le connais peut-être. Un certain Kyle Armstrong.

— Ah, le petit génie de Tasmanie…

— Pardon ?

Avant de satisfaire la curiosité de Jade, Ava retourna s'asseoir devant son chevalet, reprit son pinceau et appliqua quelques touches de couleur sur sa toile.

— Je n'en sais pas beaucoup plus. C'est un expert en marketing que ton père envisage d'embaucher pour développer Whitmore Opals.

— Quoi ? Si papa veut développer Whitmore Opals, pourquoi n'engage-t-il pas quelqu'un de jeune et de branché, quelqu'un qui a du flair ? Quelqu'un comme moi ! Je me spécialise justement en marketing cette année, et j'aurai mon diplôme en novembre. Bon sang, je n'arrive pas à croire qu'il me fasse un coup pareil !

— On n'embauche pas une jeune diplômée comme directrice du marketing, fit valoir Ava. Ce ne serait pas très logique.

28

Mais Jade ne se sentait pas d'humeur à se montrer logique. La colère et la rancœur lui brouillaient les idées. D'un côté, Nathan convoitait la fortune familiale, qui s'étendait bien au-delà du commerce d'opales. De l'autre, son propre père préférait engager un parfait inconnu au poste même qu'elle avait imaginé sur mesure pour elle… lorsqu'elle décrocherait son diplôme. Car, jusqu'à maintenant, l'entreprise familiale n'avait même pas de département marketing. Byron prenait un malin plaisir à s'occuper de tout lui-même : vente, négoce, publicité, comptabilité, ressources humaines…

Sa colère menaçait d'avoir raison d'elle lorsqu'elle se rendit compte qu'elle pouvait tourner la chose à son avantage. Après tout, en jouant les bonnes cartes, elle pouvait mettre ce Kyle Armstrong dans sa poche. En lui rappelant qu'elle étudiait le marketing et qu'elle était la fille de son employeur, elle pourrait peut-être décrocher un poste à mi-temps et gagner une réelle expérience professionnelle en attendant d'avoir son diplôme. Avec un peu de chance, elle pourrait convaincre son père qu'elle valait n'importe quel homme.

Bien sûr, cette stratégie supposait de changer quelque peu son image, comme l'avait suggéré Melanie. Mieux valait renoncer à l'idée du bustier. Peut-être même lui faudrait-il porter un banal soutien-gorge.

— Ça te dérange si je jette un œil à ta garde-robe ? demanda-t-elle soudain à sa tante. J'aurais besoin de t'emprunter quelque chose pour ce soir. M. Armstrong dîne avec nous.

— Sers-toi. Mais j'ai bien peur que tu ne trouves pas grand-chose. J'ai donné tout ce qui ne m'allait pas à Gemma.

Jade n'en croyait pas ses oreilles. Qu'avait donc cette Gemma pour s'attirer l'estime et les faveurs de tous ? Byron lui-même devait l'adorer, peut-être même la considérer comme la fille modèle qu'il n'avait pas eue. Bon sang, elle espérait que Nathan ne tarderait pas à la corrompre et que tout le monde s'en apercevrait, son père le premier !

En marmonnant, elle se résigna à l'idée de redescendre et de solliciter Melanie. Cette dernière devait bien avoir autre chose que ses affreuses robes noires dans ses placards.

Avant de partir, cependant, elle s'approcha de sa tante pour étudier sa toile.

— Eh ! s'exclama-t-elle avec étonnement. C'est plutôt bon… Tu t'améliores, Ava !

— A moins que ce ne soient tes goûts qui s'améliorent, rétorqua celle-ci avec un sens pour le moins inhabituel de la repartie.

Toutes deux échangèrent un regard surpris, puis Jade déclara :

— Belle reprise de volée.

— Pas mal, n'est-ce pas ?

— Tu as l'air… plus épanouie, Ava. Je me trompe ?

— Non. La maisonnée tout entière a repris vie depuis que Gemma est arrivée.

— Encore elle ! Il va décidément falloir que je rencontre ce parangon de perfection !

— Tu lui mangeras dans la main en un rien de temps, déclara sa tante en riant. Comme tout le monde.

— Je n'en suis pas si sûre, rétorqua Jade, rongée par un soudain accès de jalousie.

Puis, ruminant de sombres pensées, elle quitta la pièce.

Gemma se redressa sur un coude et regarda l'homme qui dormait, nu, à son côté. Il était magnifique. Son regard caressa son profil parfait, ses lèvres au dessin sensuel mais viril. Il n'y avait pas une once de féminité chez Nathan Whitmore.

Elle avait peine à croire, face à ce corps de rêve, qu'il avait trente-cinq ans. Elle avait peine à croire que, moins d'une heure plus tôt, elle était vierge. Peine à croire qu'il voulait l'épouser, elle, une petite provinciale qui n'avait même pas vingt ans.

— Tu vas me faire rougir, à me regarder comme ça, commenta-t-il en ouvrant à demi la paupière gauche.

— Oh, je… je croyais que tu t'étais endormi.

— Je somnolais, murmura-t-il en tendant le bras et en l'attirant contre lui.

Gemma s'abandonna un instant au plaisir que lui procuraient ses baisers mais, sitôt qu'ils se séparèrent pour reprendre leur souffle, gigota pour s'extraire de son étreinte, et s'éloigner de la tentation qu'il représentait.

— Il faut que nous arrêtions, Nathan. Kirsty ne va pas tarder à rentrer de la plage. Il est déjà 3 heures, et ça fait une heure qu'elle est partie.

— Kirsty ne quitte jamais la plage avant le coucher du soleil, la rassura Nathan. Mais je suppose que tu as raison. Mieux vaut ne pas prendre de risque. Il ne faudrait pas qu'elle nous trouve comme ça.

De la main, il caressa les seins de Gemma, et sourit comme un frisson involontaire la parcourait.

— Est-ce que tu te rends compte que nous avons toute la nuit pour nous ? Kirsty va chez une amie pour regarder des films.

Gemma tenta d'ignorer sa propre excitation pour se concentrer sur Kirsty. Son rôle, après tout, était de veiller sur elle. Pas de coucher avec son père.

— Je ne suis pas sûre que Lenore apprécierait de savoir qu'elle va passer toute la nuit devant la télévision. Elle n'a que quatorze ans, après tout. En plus, elle est censée être punie pendant encore une semaine.

A la mention du nom de son ex-femme, Nathan se rembrunit et roula sur le côté. Puis il se leva, et décréta sèchement :

— Tant que ma fille sera sous mon toit, c'est moi qui déciderai de ce qui est bon pour elle. Au diable, Lenore.

Gemma fut quelque peu déroutée par cette explosion de colère, Nathan étant d'ordinaire toujours maître de lui-même. Involontairement, elle repensa au baiser qu'elle avait surpris entre Nathan et son ex-femme, près de deux semaines plus tôt, au soir de son premier jour à Belleview. C'était l'une des raisons pour lesquelles elle avait tenté de combattre son attirance à l'égard de Nathan. Elle avait d'abord cru, en effet, qu'il était encore amoureux de Lenore. La passion de ces dernières heures lui avait quelque peu fait oublier ses doutes, mais ils revenaient à présent en force.

— C'est la mère de Kirsty, fit-elle valoir dans un soupir. Tu ne peux pas l'ignorer.

Avec des gestes brusques, Nathan commença à se rhabiller.

— Ne t'occupe pas de Lenore. Ce n'est qu'une garce égoïste.

Gemma le fixa avec une stupeur accrue. Voyant cela, son compagnon se pencha sur elle tandis qu'un sourire venait adoucir ses traits. Du bout des lèvres, il l'embrassa sur la pointe du menton.

— Elle est tout le contraire de toi, mon amour. Tu as plus de générosité dans ton petit doigt qu'il n'y en a dans Lenore tout entière.

« Dans ce cas, pourquoi l'embrassais-tu comme si tu voulais la dévorer il y a deux semaines ? » aurait-elle voulu demander. Au lieu de cela, elle murmura :

— Tu m'aimes, n'est-ce pas ?

— Je t'aime. Je t'adore.

Ses lèvres conquirent les siennes, avides, gourmandes. Puis il se laissa retomber sur le lit, repoussa d'une main les oreillers.

— Nathan ! protesta-t-elle, le souffle court. Nous ne pouvons pas…

— Nous pouvons faire ce que nous voulons, gronda-t-il.

Il enfouit son visage entre ses seins, descendit doucement sur son ventre.

Fascinée et terrifiée par ce qu'il s'apprêtait à faire, Gemma se trouva incapable de répondre. Elle le suivit des yeux, d'abord en proie à un vif embarras, les joues rouges de confusion. Mais un intense plaisir triompha bientôt de sa pudeur. Ses doigts se refermèrent sur les draps, et son être tout entier parut basculer dans un abîme sans fond.

3.

Jade étudia son reflet avec une noire satisfaction. Melanie lui avait trouvé un tailleur bleu marine, qui aurait été désespérément triste si elle avait accepté la chemise blanche qui allait avec. Au lieu de cela, elle avait préféré un haut de dentelle framboise découvert dans les placards d'Ava. Sa tante lui avait également dégotté une paire de chaussures de la même couleur, à talons hauts, relique de ses jeunes années.

En fouillant dans ses propres tiroirs, Jade avait retrouvé des pendants d'oreilles composés de disques roses qu'elle avait adorés autrefois. Par chance, ce mélange de classique et de provocant produisait un effet élégant, sans pour autant contredire sa personnalité. Bien sûr, Jade n'avait pu résister à rajouter quelques touches de provocation, sous la forme d'un vernis à ongles de couleur rose vif. Elle avait également retourné la ceinture de son tailleur de manière à faire arriver l'ourlet de la jupe à mi-cuisse.

En s'habillant, Jade n'avait repensé qu'une seule fois aux événements de la veille. Melanie lui avait prêté un soutien-gorge, mais ses seins étaient encore trop sensibles pour le supporter. La peur l'avait de nouveau envahie, lorsqu'elle avait regardé ses bleus, bien vite remplacée par une rage sourde. Jade n'était pas du genre à jouer les victimes éplorées. Serrant les dents, elle avait juré qu'elle ne laisserait pas un pervers marquer son esprit en plus de son corps. Elle ne voulait pas céder à la peur, à la rancœur ou à la haine, de crainte de finir comme sa mère.

Ce fut donc la tête haute, le sourire aux lèvres et les cheveux bien peignés qu'elle descendit et gagna le salon où, selon Melanie, son père et leur invité s'étaient fait servir un apéritif. La grande horloge de l'entrée sonna 7 h 30 comme elle passait. Le dîner devait être servi à 8 heures.

Les deux hommes étaient assis lorsqu'elle entra : son père sur le sofa vert qui faisait face à la cheminée, Kyle Armstrong dans l'un des profonds fauteuils qui jouxtaient la cheminée en marbre. Ce fut évidemment ce dernier qui attira son attention.

Il était toujours aussi dangereusement séduisant aux yeux de Jade, au moins autant que le verre qu'il tenait, et qui devait être à en juger par la couleur du whisky pur. Elle aurait bien volontiers avalé la même chose, car son courage menaçait de l'abandonner. Pourquoi donc cet homme la troublait-il à ce point ? Parce qu'il éveillait en elle ce désir insensé ? Ou parce qu'il semblait parfaitement indifférent à ses charmes ?

Résistant à l'envie d'humecter ses lèvres desséchées, elle pénétra dans la pièce. Sa jupe, à chacun de ses pas, caressait ses jambes nues dans un murmure de tissu. Le regard rivé sur Kyle Armstrong, elle guettait — non, espérait — une réaction favorable de sa part.

Il leva les yeux comme elle approchait. Une nouvelle fois, rien ne transparut dans leurs noires profondeurs. Mais il ne détourna pas la tête et Jade eut l'étrange impression qu'il la tenait captive par la seule force de sa volonté. A cette idée, ses genoux se mirent à trembler, et elle se morigéna en silence pour cette pitoyable manifestation de faiblesse. Elle se força donc à se ressaisir et lui adressa un sourire dont elle espérait qu'il le déstabiliserait tout autant. Mais il resta de marbre, se contentant de porter son verre à ses lèvres et continuant de la dévisager.

Jade sentit son sourire disparaître tandis que, fait nouveau pour elle, elle rougissait jusqu'aux oreilles. Désarçonnée, elle détourna les yeux vers son père qui l'étudiait, sourcils froncés, et paraissait ne pas savoir s'il appréciait ce qu'il voyait ou non. Jade fut heureuse de cette diversion presque comique, de cet exutoire à la tension terrible qui montait en elle depuis qu'elle était entrée dans la pièce.

— Bonsoir, père, dit-elle avec un formalisme exagéré. Kyle, ajouta-t-elle en inclinant la tête vers leur invité, tout en prenant garde de ne pas croiser son regard.

Tous deux lui répondirent « bonsoir » pendant qu'elle se dirigeait vers le meuble à liqueurs et se servait un triple scotch tonic, dont elle avala une longue gorgée avant de rejoindre les deux autres. Son père lâcha un soupir exaspéré lorsqu'il dut pousser sa canne pour la laisser gagner sa place.

— Vous avez fini ce que vous aviez à faire ? demanda-t-elle en croisant les jambes et en les ramenant sagement contre le canapé.

— Je dirai que nous avons réglé ce que nous avions à régler, pour notre satisfaction mutuelle, répondit évasivement Byron. N'est-ce pas, Kyle ?

— Absolument, répondit l'intéressé.

Vexée par leur complicité aussi visible qu'exclusive, Jade décida de leur donner une petite leçon.

— Tante Ava m'a dit que Kyle allait prendre le poste de directeur du marketing de Whitmore Opals ? s'enquit-elle d'un ton détaché.

— Sacrée bonne femme, marmonna Byron.

— Ai-je bien entendu, père ? Tu reconnais enfin que je suis une femme ?

Byron tourna vers elle son regard bleu limpide. Il était évident qu'il aurait aimé lui faire payer son impudence, mais la présence de leur invité lui imposait une certaine retenue.

36

Au prix d'un visible effort de volonté, il se détendit et parvint même à sourire.

— Une femme, c'est plus qu'un joli corps, déclara-t-il avec une politesse venimeuse.

— Tout à fait d'accord, répondit-elle du même ton, après une nouvelle gorgée de scotch. De même qu'un homme est davantage qu'un tas de muscles. Qu'en pensez-vous, Kyle ?

Etait-ce un effet de son imagination, ou venait-elle d'apercevoir une lueur d'amusement dans le regard de leur invité ? Ses lèvres, cependant, formaient toujours une ligne droite et dure, que ne venait pas adoucir la moindre ébauche de sourire.

— Je suis parfaitement d'accord avec vous, Jade. Par ailleurs, vous avez raison sur cet autre point : votre père m'a proposé le poste de directeur du marketing de Whitmore Opals, et j'ai accepté.

La plupart des Australiens bougeaient peu les lèvres quand ils parlaient, mais Kyle Armstrong avait une bouche étonnamment mobile, une voix claire et une élocution châtiée, comme un acteur. Malgré elle, Jade se surprit à étudier ses lèvres, fascinée. Sa lèvre supérieure était fine et cruelle, l'inférieure pleine et sensuelle. Laquelle le représentait-elle le mieux ? Jade brûlait d'envie de le découvrir. Mais comment faire, alors qu'elle le laissait si visiblement indifférent ?

Levant les yeux vers les siens, elle constata qu'il regardait sans gêne les cuisses bronzées que sa jupe révélait. Jade sentit aussitôt son cœur s'emballer. Peut-être ne le laissait-elle pas si indifférent, après tout. Peut-être cachait-il son intérêt pour elle à cause de la présence de son père. A quoi pensait-il, en cet instant ? Au plaisir qu'il éprouverait à se perdre entre ses cuisses ?

Presque choquée par l'érotisme de ses pensées, Jade serra instinctivement les jambes. C'était de la luxure à l'état pur. L'un des sept péchés capitaux. Et il n'était guère étonnant que certaines personnes succombent à son appel. Jamais de sa vie elle ne s'était sentie aussi excitée. Une nouvelle fois, elle se prit à espérer que Kyle serait marié, afin d'avoir une raison de combattre cette force étrange qui la possédait.

— Vous êtes marié, Kyle ? demanda-t-elle abruptement.

— Non, répondit-il avec un léger froncement de sourcils. Pourquoi cette question ?

Jade fut soulagée par cette nouvelle qui augurait pourtant fort mal de l'avenir. Elle se sentait emportée par une vague contre laquelle elle ne pouvait pas lutter.

— Eh bien, dit-elle avec un rire rauque, je pensais que votre femme, si vous en aviez une, aurait pu s'opposer au fait que vous quittiez la Tasmanie pour venir travailler en Australie.

— Comment savez-vous que...

Il s'interrompit, puis esquissa un sourire et demanda :

— Votre tante Ava, je suppose ?

— Je ne lui confierai plus jamais rien ! lança Byron avec humeur.

— Pauvre Ava, marmonna Jade avant de se tourner vers son père. Pourquoi tous ces mystères, de toute façon ? Qui veut savoir que monsieur...

Elle se tut, horrifiée. Elle avait été sur le point de dire : « Mister Freeze ». Pour masquer sa gêne et expliquer cette interruption brutale, elle toussa, but une gorgée de sa boisson et reprit d'une voix relativement posée :

— Pourquoi la nomination de Kyle doit-elle rester secrète ?

— Parce que je ne veux pas que Celeste Campbell en ait vent, voilà pourquoi ! riposta Byron.

Jade leva un sourcil surpris. Elle s'était souvent demandé ce qui avait bien pu se passer entre Celeste Campbell et son père pour rendre leurs relations aussi tendues. Celeste était en fait la tante de Jade, puisqu'elle était la demi-sœur de sa mère. Cette dernière, Irène, était la première née de Stewart Campbell. Mais son épouse étant décédée quelques semaines après la naissance, Stewart s'était remarié et avait eu deux autres enfants, Celeste et Damian.

L'antagonisme entre Celeste et Byron, en tout cas, était troublant. La vieille querelle qui avait opposé leurs pères, David Whitmore et Stewart Campbell, faisait désormais partie de la légende, même si personne n'en connaissait les raisons exactes. L'affaire, avait-elle entendu dire, était liée à la disparition ou au vol d'une précieuse opale.

En tout cas, après la mort des deux hommes, le mariage de ses parents avait paru rapprocher les deux familles. Assez, en tout cas, pour ramener la haine ancestrale au rang de compétition normale entre deux grandes entreprises. Mais il semblait qu'en reprenant le contrôle de Campbell Jewels, près de deux ans plus tôt, Celeste avait trouvé le prétexte de raviver la querelle. Il y avait bel et bien là un mystère, dont Jade savait qu'elle n'était pas près de le résoudre. Car son père n'allait certainement pas se confier à elle. Pas davantage que Celeste Campbell. Peut-être se haïssaient-ils simplement, sans qu'il y ait d'explication à cela. Ou peut-être cette rivalité était-elle due à Irène, qui n'avait jamais manqué la moindre occasion de critiquer sa demi-sœur.

— Je doute que Celeste Campbell puisse faire quoi que ce soit de nouveau contre Whitmore, observa Jade.

— Peu importe. On ne donne pas un avantage à l'ennemi.

— Mais pourquoi est-elle ton ennemie ? Qu'est-ce que tu lui as fait, ou que t'a-t-elle fait ? C'est ce que j'ai toujours voulu savoir.

— Je n'ai aucune envie de discuter de ce sujet, Jade, merci bien. Je doute que Kyle soit intéressé par nos querelles.

— Je pense qu'il devrait au contraire apprendre la nature des relations entre Campbell et Whitmore. Il lui faudra connaître l'ennemi pour mieux lutter contre lui.

— Kyle sait déjà à qui il aura affaire. Celeste Campbell est une garce manipulatrice et ambitieuse qui ne reculera devant rien pour me ruiner. Il n'y a rien d'autre à ajouter.

Au grand dam de Jade, persuadée qu'il y avait au contraire beaucoup à ajouter, Melanie entra dans le salon pour annoncer que le dîner était servi. L'expression songeuse de Kyle lui laissait de plus supposer qu'il partageait son propre point de vue. Peut-être même avait-il à présent des doutes quant au poste difficile qu'il allait accepter. Car si les affaires des Whitmore étaient globalement prospères, la branche du négoce d'opales était pour sa part en chute libre. Heureusement, le grand-père Whitmore avait songé très tôt à diversifier ses avoirs.

Jade était pour sa part à l'abri de tout souci financier. En effet, elle avait hérité à vingt et un ans d'un compte ouvert par sa grand-mère avant sa naissance. A cela s'étaient ajoutés les biens de sa mère, qui comprenaient de nombreux et précieux bijoux. Répugnant à profiter de quoi que ce soit qui avait appartenu à Irène, cependant, elle avait laissé moisir les joyaux en question dans un coffre. A présent qu'elle y pensait, elle se dit qu'elle pourrait les donner à Ava. La pauvre devait aller quémander auprès de Byron le moindre cent, puisque son frère aîné avait été nommé administrateur de son héritage jusqu'au jour où elle se marierait, un arrangement insupportable pour toute femme dotée d'un semblant de fierté. Jade conseillerait à sa tante de vendre les bijoux et de profiter de l'argent ainsi recueilli pour s'inscrire dans une véritable école d'art ou partir faire le tour du monde. Après tout, Ava n'allait pas rencontrer le prince charmant en restant enfermée dans son studio.

— Par ici, monsieur Armstrong, déclara Melanie de ce ton autoritaire qui la caractérisait. J'espère que vous aimez l'agneau…

Jade resta en arrière pour aider son père à se lever.

— Là, appuie-toi sur moi, papa.

— Oh, tu ne m'appelles plus « père », maintenant ? Peut-être était-ce simplement pour impressionner notre visiteur ?

— Bien sûr.

Elle glissa un bras sous ses épaules, et Byron grogna de douleur en se levant.

— Je parie que c'est toi qui as signé ta feuille de sortie à l'hôpital ? le réprimanda-t-elle.

— Un hôpital ? Une chambre de torture, oui !

Jade ne put s'empêcher de rire.

— Tu as un joli rire, ma fille, tu sais cela ?

— C'est bien la première fois que tu me le dis. Attention à la table basse !

Ils avancèrent ensemble entre les meubles du salon, puis Byron déclara :

— Tu es solide, dis donc. Tu as de belles épaules. Tu dois tenir de ton père.

— Ce sont des épaulettes, répliqua Jade, ne sachant trop comment prendre ce revirement dans leurs relations.

Son père essayait-il de se racheter après leur dernière dispute à l'hôpital, sans parler de la dureté dont il avait fait preuve à son égard depuis qu'elle était arrivée ?

Comme embarrassé par son propre comportement, Byron reprit ses manières brusques sitôt qu'ils eurent quitté le salon.

— Je vais me débrouiller, maintenant. Donne-moi ma canne.

Jade s'exécuta en souriant, et eut la surprise de le voir sourire en retour. Son cœur se serra sous le coup d'une soudaine émotion. Pourquoi l'aimait-elle autant, lui qui était affublé de tous les défauts dont il accablait Celeste Campbell, et était doté, de surcroît, d'un machisme néandertalien ? Elle savait en outre que son écart de conduite avec la précédente gouvernante n'était sans doute qu'une infidélité parmi d'autres. Il n'y avait qu'à le regarder pour s'en convaincre. A cinquante ans, il était toujours mince, puissamment bâti, incroyablement séduisant. Ses yeux d'un bleu limpide avaient un pouvoir intact sur les femmes.

— Tu es une bonne fille, grommela-t-il d'un ton bourru. Derrière cette façade.

— Tu sais que je n'ai toujours pas de soutien-gorge ? ne put-elle s'empêcher de lui dire.

— Non, parce que ça ne se voit pas. Et c'est ainsi qu'il doit en être. Le seul homme qui devrait voir les seins d'une femme, c'est son mari.

— Je m'efforcerai de m'en souvenir, papa.

Elle résista cette fois à la tentation de répondre qu'elle n'avait aucune intention de se marier. Certes, un homme pouvait s'avérer utile, mais à petite dose. Surtout pas quotidiennement.

Non, le mariage n'était vraiment pas fait pour elle. Si elle devenait la femme de ce Mister Freeze, pour prendre le premier exemple qui lui venait à l'esprit, il y avait fort à parier qu'il lui dicterait en moins d'une semaine ses choix vestimentaires et la conduite à adopter. Voilà pourquoi elle serait parfaitement heureuse de coucher avec lui et d'en rester là. Au moins était-elle capable, à présent, de l'admettre sans rougir et sans en avoir honte. Et si elle pouvait s'assurer un poste chez Whitmore Opals au passage, pourquoi ne pas en profiter ?

La grosse horloge de l'entrée sonna lentement et solennellement 8 heures, comme pour l'avertir de quelque chose. Mais Jade ignora ce présage. Elle ne croyait pas à ce genre de bêtises.

Gemma, à la même heure, nageait à grandes brasses dans la piscine, enchaînant longueur après longueur, tentant désespérément de retrouver l'euphorie qu'elle avait éprouvée l'après-midi même dans les bras de Nathan. Mais la réalité avait soudain repris ses droits, et il lui était difficile de se débarrasser des doutes qui assaillaient son esprit.

Que dirait-on, à Belleview, en apprenant qu'elle avait épousé Nathan ? Peut-être Byron n'en serait-il pas surpris… car Gemma avait l'impression qu'il soupçonnait quelque chose. Et ni Ava ni Melanie n'en seraient choquées. Mais elles n'en seraient peut-être pas heureuses pour autant, et en déduiraient sans doute qu'elle n'était qu'une croqueuse de diamants qui se servait de Nathan pour assurer son avenir.

Cela, elle pourrait encore le supporter. C'était Kirsty qui l'inquiétait davantage. La fille de Nathan allait en effet prendre cela pour une trahison, d'autant plus qu'elles étaient devenues amies. Kirsty, en effet, espérait secrètement que ses parents allaient finir par se réconcilier.

Gemma frémissait au seul fait d'y penser. Elle détestait, de plus, l'idée de devoir cacher leur liaison jusqu'à ce qu'ils fussent mariés. Elle avait toujours cru en l'honnêteté et la franchise, et détesté la tromperie. Nathan, cependant, tenait au secret absolu. Il ne voulait provoquer ni scandale, ni drame, ni débat. Il avait affirmé que de nombreuses personnes essaieraient de les dissuader s'ils rendaient leur décision publique.

« Quelles personnes ? » avait-elle aussitôt demandé. Faisait-il allusion à Ava ? A Byron ? A sa fille ? A son ex-femme ? Et lequel d'entre eux deux redoutait-il de voir changer d'avis ? Elle, ou lui-même ?

Nathan ne lui avait pas vraiment répondu. Il avait bien vite éludé la question en lui faisant de nouveau l'amour. C'était après cela, profitant du fait qu'il était dans la salle de bains, qu'elle avait enfilé son maillot de bain et s'était éclipsée. L'idée que Nathan se servait du sexe comme d'un moyen d'endormir sa méfiance la travaillait depuis lors, bien qu'elle fît de son mieux pour la repousser. Ses soupçons, de fait, augmentaient d'instant en instant.

Un soudain bruit de plongeon la fit tressaillir, et elle chercha nerveusement le sol carrelé du bassin du bout des pieds. Mais elle était en eau profonde, et commençait à paniquer — elle n'avait jamais été très bonne nageuse — lorsque Nathan émergea devant elle.

— Je t'ai cherchée partout, dit-il en repoussant ses cheveux de ses yeux, dans lesquels se lisait une vive colère. Pourquoi ne m'as-tu pas dit que tu descendais te baigner ?

— Je... j'avais besoin d'air, haleta-t-elle, déjà fatiguée par l'effort qu'il lui fallait fournir pour surnager.

— Tu as changé d'avis à propos du mariage ?

— Non, bien sûr que non ! C'est juste que... ça ne va pas être très facile. Je... je m'inquiétais à propos de la réaction de Kirsty.

— Elle s'y fera. Comme tout le monde. Mais tu es en train de couler... Mets tes bras autour de mon cou et tes jambes autour de ma taille.

Gemma s'exécuta, puis eut un violent mouvement de recul.

— Tu... tu es nu !

— Exact. Et tu vas l'être aussi, dans quelques secondes.

Elle tressaillit comme il la débarrassait de son maillot de bain pourpre et le laissait dériver au gré de l'eau. Un courant frais parcourut tout son corps, accentuant sa sensation de nudité. Elle regarda nerveusement autour d'elle, et constata avec soulagement qu'une haie touffue les protégeait des voisins et des regards indiscrets. Le soleil s'était couché depuis peu, mais l'air était encore chaud malgré les étoiles qui brillaient dans un ciel sans nuages. Une demi-lune jetait sur les flots un halo argenté.

— Je... je ne suis pas habituée à ce genre de choses, murmura-t-elle.

— Je sais.

Puis, sans rien ajouter, il l'attira à lui et l'embrassa. Ses lèvres étaient chaudes, gourmandes, humides. Gemma aurait voulu le repousser et lui faire part de ses préoccupations, mais de quelles préoccupations s'agissait-il—eur d'où n'émergeaient que des sensations, faire l'amour avec l'homme qu'elle aimait valait mieux que toutes les discussions du monde…

Avec un soupir, elle se colla contre lui puis l'accueillit au plus profond d'elle-même. Nathan émit un souffle rauque et la serra plus étroitement dans ses bras. Renversant la tête en arrière sous l'effet du plaisir, Gemma leva les yeux vers les étoiles. C'était une nuit faite pour l'amour.

Quant au lendemain… elle s'en inquiéterait demain !

4.

Jade regarda Melanie désigner sa place à leur invité. La conversation de la gouvernante devait plaire à Kyle car il souriait. Elle en éprouva un pincement de jalousie, bien vite suivi d'une intense irritation. Pourquoi s'intéressait-elle à un homme qui se moquait bien d'elle ? Il s'agissait peut-être de relever un défi, mais lorsque le défi en question menaçait votre équilibre mental, il fallait également savoir s'arrêter !

Il était impossible, de plus, qu'elle désirât Kyle autant qu'elle se l'imaginait. Ce n'était qu'un effet de sa frustration, d'autant plus que le sexe pour le sexe ne l'avait jamais intéressée. Plus que son corps, c'était l'attention d'un homme qu'elle recherchait. Et puis, après la nuit qu'elle avait passée, Jade aurait pu supposer que sa libido allait en prendre un coup pour un certain temps. Et voilà qu'il lui fallait se retenir pour ne pas sauter sur Kyle et le supplier de lui faire l'amour ! C'était à n'y rien comprendre.

Agacée et troublée, Jade s'enferma dans un mutisme inhabituel. Son père, malheureusement, semblait pour une fois d'humeur à parler.

— Alors, qu'est-ce que tu penses de lui ? demanda-t-il tandis qu'ils progressaient lentement vers la salle à manger.

— Je préfère réserver mon jugement pour l'instant.

— Tu ne l'aimes pas, en déduisit aussitôt Byron.

— Je n'ai pas dit ça.

— C'est inutile. J'ai senti des ondes qui ne trompaient pas, dans le salon.

Jade en fut étonnée. S'il y avait eu des ondes à percevoir, ce n'étaient certainement pas des ondes d'hostilité. A moins qu'elle n'eût réagi ainsi parce qu'elle sentait que Kyle représentait pour elle une forme de danger.

— Que sais-tu de lui ? demanda-t-elle à voix basse.

— J'en sais assez.

— Comment l'as-tu trouvé ?

— Par l'un de ces cabinets de chasseurs de têtes. Ses références sont impressionnantes.

— Evidemment, maugréa-t-elle.

Ils franchirent à leur tour l'arche qui donnait accès à la salle à manger. Kyle était installé à côté d'Ava, dont les joues rouges trahissaient l'inconfort. Ava, il fallait l'avouer, n'était jamais à l'aise en présence d'inconnus. Cet inconnu-ci devait cependant avoir trouvé grâce à ses yeux, car elle souriait.

— Ava ! rugit Byron. Nous avons un compte à régler, tous les deux !

Jade en voulut à son père de la façon dont il traitait sa jeune sœur, profitant de leur importante différence d'âge pour l'intimider. Ava sursauta d'ailleurs légèrement, et Kyle lui-même fronça les sourcils.

— Laisse-la tranquille, papa. Et toi, Ava, ne fais pas attention à lui. Il est de mauvaise humeur parce que sa jambe lui fait mal et qu'il ne m'a plus en permanence sous la main pour me tyranniser. On pouvait espérer qu'il se contrôlerait, avec un invité sous son toit, mais les gens riches et puissants prennent très vite l'habitude de ne plus faire attention aux autres.

Jade fut surprise de voir que Kyle l'étudiait d'un air qui semblait presque admiratif, tandis qu'une étincelle d'amusement — enfin ! — pétillait dans son regard. Cela ne fit qu'attiser son insolence.

— J'ai découvert que l'argent et les bonnes manières ne faisaient pas toujours bon ménage, poursuivit-elle avec un sourire suave à l'intention de son père. Assieds-toi, papa. Je vais mettre de la bonne musique.

— Pas ta musique de fous, alors, répondit l'intéressé en obtempérant néanmoins. Du classique.

— Qu'aimez-vous comme musique, Kyle ? s'enquit-elle, osant un sourire charmeur dans sa direction.

Cette fois, cependant, elle fut déçue de constater qu'il avait repris son masque impénétrable. Tout comme elle fut déçue par sa réponse.

— Mozart. J'aime Mozart…

— Un homme de goût, observa Byron.

— Mozart, répéta Jade. Peuh !

« Gros prétentieux, songea-t-elle en tournant les talons. Je suis sûre qu'il a dit Mozart pour faire plaisir à papa. Il veut du Mozart ? Tu vas lui en donner ! »

Quelques secondes plus tard, un morceau de heavy-metal emplissait la pièce, assez fort pour faire trembler le lustre au-dessus de leurs têtes.

— Eteins-moi cette horreur ! cria Byron.

— Oups ! Désolée, je me suis trompée de CD. Je n'ai pas mis mes lunettes.

— Tu ne portes pas de lunettes ! rétorqua son père avec exaspération.

— Ah non ? Je devrais peut-être, alors.

Elle regagnait la table d'un pas traînant, sous le regard courroucé de son père, lorsque leur invité fut pris d'une soudaine quinte de toux. Que lui arrivait-il, à présent ? Cela ne ressemblait pas à une crise d'asthme, ni à une allergie aux fleurs posées devant lui.

— Tout va bien ? demandèrent les autres.

Il fit signe que oui, tout en dépliant sa serviette et en tamponnant ses yeux humides.

— Ça va, oui, dit-il enfin. J'ai juste avalé de travers.

Avalé quoi ? se demanda Jade avec curiosité. Ils n'avaient pas encore commencé à manger !

La soupe aux asperges, l'une des nombreuses spécialités de Melanie, arriva à cet instant précis. Les vins furent ensuite servis avec chaque plat, et Jade en but si généreusement qu'elle devint de plus en plus insolente au fur et à mesure que la soirée avançait. Kyle ne lui apparut que plus attirant, comme c'était souvent le cas avec l'alcool, mais également plus inaccessible que jamais. Il était pareil à un mirage, à un fantôme rôdant aux frontières du réel. Il semblait d'ailleurs éviter de plus en plus son regard et ses tentatives d'engager la conversation.

— Quand commencerez-vous à travailler pour Whitmore Opals ? demanda-t-elle au dessert, refusant de se laisser décourager par ses manières.

— Lundi, répondit-il froidement.

— Ce lundi ?

— Hmm.

— J'ai toujours voulu travailler pour Whitmore, marmonnat-elle en piquant du nez dans son verre.

La frustration et le vin mélangés la faisaient balancer entre tristesse et colère.

— Ne recommence pas, soupira son père. Je t'ai déjà dit des milliers de fois que j'y songerai quand tu auras ton diplôme.

Jade lui darda brusquement un regard un peu trouble.

— Que tu y songerais ? Tu m'as dit que tu me donnerais un travail si j'avais mon diplôme ! Tu essaies de revenir sur notre marché ?

— Tu connais ma position sur les femmes dans le milieu du travail. Et puis, je ne suis pas sûr que Kyle veuille d'une gamine inexpérimentée, qui sera plus un fardeau qu'un atout.

Jade repoussa son reste de gâteau, furieuse.

— Mais tu as promis !

— Jade, ça suffit !

— Puis-je dire quelque chose, Byron ? intervint leur invité.

— Bien sûr, Kyle. Je suis désolé que vous ayez à assister à ces disputes de famille.

— J'ai travaillé toute ma vie pour des entreprises familiales, et je suis habitué aux petites disputes. J'aimerais cependant souligner que, si la situation est aussi grave pour Whitmore Opals que vous l'avez exposée, j'aurais besoin de toutes les idées et de tous les talents que je pourrai trouver. Une femme jeune et inventive comme Jade serait sans nul doute un atout pour la société. De plus, nous sommes certains qu'elle aura à cœur de se battre pour Whitmore. Avec une concurrente telle que Celeste Campbell, nos employés pourraient être soudoyés, ou débauchés. Mais nous n'aurons pas à douter de la loyauté de Jade. Et comme je pensais de toute façon engager quelqu'un pour m'assister, pourquoi pas elle ?

Il posa sur Jade son regard bleu, et elle perçut une nouvelle fois sa force de caractère. C'était là un homme auquel nul ne pouvait forcer la main. De même, il était certainement impossible de l'arrêter une fois qu'il s'était fixé un but ou qu'il avait pris une décision. Ce qui ne faisait que souligner la futilité des tentatives de Jade pour le séduire, alors qu'il lui avait clairement fait comprendre qu'elle ne l'intéressait pas. Elle se sentit soudain honteuse d'avoir insisté, de ne pas avoir su accepter la défaite. C'était stupide. Immature.

Immature ? Diable, elle croyait entendre Byron !

— Vous n'allez pas en cours tous les jours, je suppose ? s'enquit Kyle. Vous devez bien avoir un après-midi ou une matinée de libre, ici et là ?

Un frisson d'excitation la parcourut. Ce que lui offrait Kyle était bien plus exaltant que la satisfaction de sa tocade passagère pour lui. C'était la carrière dont elle avait toujours rêvé, la vie qu'elle avait secrètement désirée. Avec un peu de chance, peut-être serait-elle l'égale d'une Celeste Campbell, dans quelques années ?

— J'ai… j'ai tous mes mercredis, répondit-elle enfin. Ainsi que le vendredi matin.

— Parfait. Je vous attends donc au bureau mercredi, à 9 heures tapantes.

Jade cligna des yeux plusieurs fois, quelque peu ahurie par la tournure des événements, avant de se tourner vers son père.

— Papa ?

Byron poussa un soupir résigné.

— J'ai promis à Kyle qu'il aurait les mains libres. S'il a envie de prendre ce risque, c'est son choix. Mais je dois dire que j'admire son courage.

— Mon courage ? répéta l'intéressé avec un étrange sourire. Le courage n'a rien à voir avec ma décision d'embaucher votre fille. Je ne fais que préparer l'avenir.

— L'avenir ? intervint Ava, levant les yeux de son assiette. L'avenir de qui ?

— De Jade, bien sûr, répondit aimablement Kyle. Elle héritera de Whitmore un jour ou l'autre, n'est-ce pas, Byron ? A moins que je ne vous aie mal compris, cet après-midi.

Jade n'en croyait pas ses oreilles, et sa tante paraissait tout aussi surprise. Hériter de Whitmore, elle ? Ainsi donc, Nathan n'avait pas complètement planté ses griffes dans l'entreprise familiale ?

— Non, vous m'avez très bien compris. Jade héritera de Whitmore. Encore que, si nous ne remontons pas la pente dans l'année qui vient, la société ne vaudra plus grand-chose…

— Raison de plus pour qu'elle apprenne la gestion. Il est temps pour vous de prendre votre avenir en main. Qu'en dites-vous, Jade ?

— Bien sûr ! s'exclama-t-elle, au comble de l'excitation. Je suis tout à fait d'accord !

— Ne lui donnez pas des idées, déclara Byron en riant. Elle pourrait s'enflammer.

— C'est exactement ce que je veux. De la fougue et des idées.

— Et si elle s'emporte au point d'aller trop loin ? De faire des erreurs ?

— Ne vous en faites pas. Je ne laisserai rien de mal arriver à votre fille. Vous pouvez en être sûr.

Jade se révolta intérieurement contre ce ton paternaliste et protecteur. Oui, elle savait que Kyle veillerait sur elle. Dommage qu'il ne fût pas disposé à aller plus loin pour faire plaisir à la fille de son patron...

— Je ne veux aucun traitement de faveur, déclara-t-elle sèchement. Je ne fais pas cela pour m'amuser. J'ai la ferme intention d'apprendre.

— Et j'ai la ferme intention de vous enseigner tout ce que je sais, répondit Kyle.

Une note étrange filtrait dans sa voix. De l'ironie ? Jade le dévisagea, soudain mal à l'aise sur son siège, un nœud de tension entre les omoplates. Avait-elle manqué quelque chose ? Il lui semblait que cet échange était plus équivoque qu'il n'en avait eu l'air...

L'entrée de Melanie, venue proposer café et thé, lui fournit une distraction bienvenue, et elle attribua son trouble à un effet de son imagination. Au deuxième service de café, les brumes de l'alcool commencèrent de se dissiper, et elle se mit à réfléchir à son futur travail. Son esprit bouillonnait, et elle songea qu'il lui faudrait écrire ses idées et les ordonner. L'excitation passée, elle se rendait compte qu'elle ne devait pas gâcher cette chance unique par un trop-plein d'enthousiasme ou de la précipitation. Et même si la perspective de travailler avec Kyle Armstrong la rendait un peu nerveuse, elle était résolue à faire de son mieux.

Cela signifiait qu'elle devrait apprendre à ignorer l'effet qu'il avait sur elle. D'accord, il était terriblement séduisant, sexy, et même intrigant. Mais essayer de le séduire n'était certainement pas la meilleure façon de mettre en avant ses qualités professionnelles. C'était de plus une chance unique de convaincre son père de ce qu'elle valait, et elle n'allait pas la gâcher pour une question d'hormones. Elle avait envie qu'il lui fasse l'amour ? Elle avait envie de lui faire l'amour ? Et alors ? Elle apprendrait à se contrôler.

Elle serra les dents, heureuse d'avoir choisi de porter une veste. Ses seins avaient en effet réagi de troublante façon à ses pensées et lui prouvaient que s'en tenir à ces bonnes résolutions n'allait pas s'avérer facile. A croire que cet homme lui avait jeté un sort ! Dieu merci, il ne paraissait pas s'en rendre compte.

Mais... pourquoi se levait-il ? Il partait, déjà ? Que venait-il de lui dire ? Lui avait-il dit quelque chose ? Avait-elle répondu ? Perdue dans ses pensées, elle s'était mise en pilotage automatique et n'avait pas la moindre idée de ce qui s'était passé dans les quarante-cinq dernières secondes.

Kyle la dévisageait à présent comme s'il s'attendait à ce qu'elle dise quelque chose. « Alors dis quelque chose, idiote ! »

— Je... je vous vois mercredi, alors ? hasarda-t-elle.

Tout le monde la regarda.

— Qu'est-ce qui te prend ? grommela son père. Tu viens de dire à Kyle que tu allais l'accompagner à la porte et lui ouvrir la grille.

Jade partit d'un rire faussement détaché, puis se leva et se dirigea vers la porte, suivie de leur invité.

— Appelez-moi du bureau lundi matin, Kyle ! lança Byron.

— Bien sûr.

Jade tenta de rattraper son moment de distraction du mieux qu'elle put, tandis qu'elle conduisait son compagnon jusqu'à l'entrée. Désireuse de lui prouver qu'elle pouvait se comporter en femme du monde, elle lui posa quelques questions anodines, plaisanta avec lui, sourit aimablement. Puis, après avoir appuyé sur le bouton qui commandait l'ouverture du grand portail, elle marcha avec lui jusqu'au bas du perron.

Et voilà, songea-t-elle avec satisfaction. Ce n'était pas si difficile, après tout. Avec un peu de concentration, on arrivait à tout.

Son contentement fut de courte durée. Car sitôt que Kyle se tourna vers elle et prit sa main dans la sienne — simplement pour lui dire au revoir, supposa-t-elle —, elle perdit entièrement pied. Avait-elle imaginé cette légère pression sur ses doigts ? La lueur de désir dans les yeux de son compagnon ? Et sa pose figée, l'aura sexuelle qui se dégageait de lui et semblait l'envelopper telle une brume enivrante ? Elle ne l'avait tout de même pas inventée !

— Kyle, murmura-t-elle dans un souffle.

Elle aurait juré avoir senti ses doigts caresser les siens, l'avoir vu incliner la tête vers elle. Mais dans le quart de seconde qui suivit, il lui souhaita bonne nuit et s'éloigna, la laissant pétrifiée et le souffle court.

Elle le suivit des yeux, la gorge sèche, tandis qu'il s'installait au volant d'un élégant coupé sport gris qui lui seyait parfaitement. Il ne jeta pas un regard en arrière, ne lui adressa pas un sourire avant de démarrer et de disparaître.

« Je le déteste », se dit Jade. Et elle rentra d'un pas furieux dans la maison.

5.

Au volant de sa Mercedes bleu marine, Nathan franchit les portes de Belleview peu après 19 h 30, le dimanche soir. Kirsty avait dormi presque toute la journée, épuisée par son marathon télévisuel. Gemma et lui, vidés par un marathon d'une autre sorte, ne valaient guère mieux. Le voyage du retour avait été pénible et lent, essentiellement du fait des embouteillages à l'entrée de Sydney, où se pressaient tous les citadins de retour d'un week-end à la mer.

Comme il prenait la direction du garage, Gemma croisa le regard de Nathan dans le rétroviseur. « Garde ton sang-froid », semblèrent lui dire ses yeux d'acier.

Elle détourna le regard, une boule d'angoisse dans la gorge. Elle détestait l'idée de devoir mentir, fût-ce par omission, à des gens qu'elle appréciait. Elle ne pouvait qu'imaginer la réaction de Kirsty, de Melanie et d'Ava — et même celle de Byron — lorsqu'ils apprendraient son mariage à venir avec Nathan. Sans parler de la réaction de son ex-femme. Car il lui était impossible de dire s'il y avait encore quelque chose entre eux.

— Pas trop tôt ! lança Kirsty dans un bâillement. Je suis crevée. Heureusement que je ne fais pas ça tous les week-ends.

— Je ne pense pas qu'il soit nécessaire que tu parles à ta mère de ce que à quoi tu as occupé le week-end, fit remarquer Nathan.

— T'en fais pas !

— Bon, tout le monde s'occupe de ses propres bagages, reprit son père en coupant le contact.

Kirsty étouffa un nouveau bâillement, et annonça :

— Je vais aller me coucher directement.

— Il faut que j'étudie un peu de japonais pour demain, annonça Gemma.

Aussitôt, la jeune fille fronça les sourcils.

— Je croyais que tu avais passé la journée à ça ?

Gemma sentit ses joues chauffer dangereusement, ce qui était d'autant plus stupide que Nathan et elle n'avaient rien fait de coupable. Mais admettre qu'elle avait somnolé toute la journée risquait d'éveiller la curiosité de Kirsty, et de la pousser à lui demander ce qu'elle avait fait de si épuisant la veille.

— Je… j'ai eu du mal à me concentrer, improvisa-t-elle. J'ai eu la migraine.

— Tu as peut-être pris un peu trop le soleil, hier, hasarda la jeune fille. Tu devrais boire beaucoup d'eau et prendre une aspirine avant d'aller te coucher. Bon, je vous laisse. Merci pour hier soir, papa, c'était cool. A demain, Gemma.

Après avoir embrassé son père, Kirsty disparut par la porte qui reliait le garage à la buanderie. Nathan claqua le coffre, puis jeta à Gemma un regard moqueur.

— La migraine, hein ? J'espère que ce n'est pas une excuse que j'entendrai souvent lorsque tu seras devenue Mme Whitmore !

Avant qu'elle pût répondre, il se pencha et l'embrassa. Un baiser profond, langoureux, qui la prit totalement de court et la fit trembler de la tête aux pieds. Ils venaient à peine de se séparer qu'un bruit de pas les fit se tourner vers la porte par laquelle Kirsty avait disparu…

Nul besoin d'être Sherlock Holmes pour comprendre ce qu'elle venait de manquer, songea Jade. Si leur mouvement ne les avait pas trahis, l'expression de culpabilité de la jeune femme et celle de frustration dans les yeux de Nathan en disaient assez long sur le petit moment de tendresse qu'elle venait d'interrompre.

Jade se figea brièvement en se rendant compte qu'elle se moquait parfaitement du fait que Nathan et Gemma sortent ensemble. Dieu merci ! Elle s'était remise de sa fascination pour lui !

— Te voilà, lança-t-elle avec un sourire de ravissement. Je t'attendais avec impatience. J'ai un service à te demander.

Nathan se renfrogna, ce qui n'avait rien d'étonnant. Mais Jade fut surprise par le regard de jalousie que lui décocha sa compagne. Les choses étaient donc allées si loin ? Inopinément, Jade se sentit de la compassion pour Gemma. Elle comprenait ce que la jeune femme ressentait, pour l'avoir elle-même éprouvé il n'y avait pas si longtemps de cela…

— Bonjour, dit-elle aimablement. Tu dois être Gemma ? Tu te rappelles de moi ? Je suis la sœur de Nathan.

Elle avait volontairement omis « adoptive » afin de rassurer Gemma.

— Bien sûr qu'elle se rappelle de toi, répondit Nathan avec irritation. Tu n'es pas quelqu'un qu'on oublie facilement. Qu'est-ce que tu veux ? Tu ne comptes pas revenir vivre ici ?

— Non, mon chou. Ecoute, je sais que tu dois être fatigué, mais j'ai besoin que tu m'accompagnes à mon appartement. Je dois mettre un… ami dehors, mais j'ai bien peur qu'il faille se montrer persuasif.

— De qui s'agit-il ? De Roberto, ou d'un nouveau ?

— De Roberto, répondit-elle, se réjouissant à l'avance de l'éclairer sur la sexualité de l'intéressé.

Elle en avait plus qu'assez des leçons de morale de Nathan ! Comment osait-il la juger, lui qui prenait à présent ses maîtresses au berceau ?

— Autant en finir au plus vite, alors, lâcha-t-il dans un soupir.

— Vraiment ? Oh, merci.

Elle ne put s'empêcher de lui sourire. Malgré tous ses défauts, Nathan n'était pas si mauvais bougre. Surtout lorsque l'on avait besoin de lui.

— Je vais chercher mes clés, annonça-t-elle.

Et elle s'éloigna, prenant soin de ne pas se presser afin de laisser le temps aux deux tourtereaux de se donner un baiser d'adieu convenable. Ou plutôt, inconvenant. Lorsqu'elle revint enfin, Gemma avait disparu et Nathan l'attendait, appuyé contre la portière de sa voiture, une lueur d'impatience dans les yeux.

— J'espère que tu n'attends pas de moi que je donne une correction à ton petit ami, Jade ? J'ai arrêté de faire ce genre de chose à dix-sept ans.

— Je ne crois pas que ce sera nécessaire avec Roberto. Il est gentil comme tout. Malheureusement, je ne peux pas en dire autant de l'un de ses amis.

Avec un froncement de sourcils, Nathan se redressa.

— Ce qui veut dire ?

Pour une raison qu'elle ignorait, Jade n'eut pas le courage de le regarder dans les yeux. Un tremblement parut monter du plus profond d'elle-même et, en dépit de tous ses efforts, sa voix tremblotait également lorsqu'elle répondit :

— Je... je...

— Quoi ? Parle, bon sang ! Qu'est-ce qui s'est passé ?

Son impatience rendit Jade furieuse, et elle rétorqua avec véhémence :

— Il a failli me violer, voilà ce qui s'est passé ! Heureusement, j'ai pu m'échapper. Et... je suis venue ici.

— Vendredi soir ?

— Oui.

— Au moins, marmonna-t-il, ça explique la voiture garée sur la pelouse. Je savais qu'une telle chose risquait de survenir, un jour ou l'autre. Voilà ce qui arrive lorsque l'on emménage avec le premier venu.

— Je n'ai jamais fait une chose pareille ! Et, pour ta gouverne, sache que Roberto n'est ni mon petit ami ni mon amant. Juste un ami qui avait besoin d'un toit. Il se trouve également qu'il est gay. Il a invité des amis à lui vendredi soir, pour une petite soirée. En ce qui me concerne, je n'y ai pas assisté, je suis allée me coucher. Dans la nuit, je me suis levée pour aller prendre un verre d'eau. Je… je pensais que tout le monde était déjà parti. Ce n'était pas le cas…

Nathan la dévisagea quelques instants avant de reprendre enfin la parole.

— Cet homme qui t'a attaqué… il était homosexuel, lui aussi ?

— Je l'ignore. Mais son comportement laissait supposer qu'il détestait les femmes ! Tu aurais dû entendre ce qu'il m'a dit pendant qu'il essayait de m'entraîner de la cuisine dans la chambre.

— Mais tu t'es échappée à temps ? s'enquit Nathan d'une voix pressante.

— Oui. Je m'en suis tirée avec quelques bleus.

— Je suppose que tu n'en as rien dit à Byron ? reprit-il d'un ton plus doux.

— Bien sûr que non ! Tu crois que je suis stupide ?

— Je crois que tu es folle, répondit-il avec un sourire. Mais je crois également que tu as beaucoup de chance, et que tu es très courageuse.

— Oh, pas tant que ça… J'ai passé le week-end à faire comme si cette soirée n'avait pas existé. Et si je pouvais éviter de rentrer, je le ferais ! Je crois que je n'enterrai plus jamais dans ma cuisine sans penser à ce type…

— Dans ce cas, ne rentre pas.

Jade le fixa avec ahurissement, et il enchaîna :

— Tu es locataire, n'est-ce pas ?

— Oui…

— Et ton appartement était meublé ?

— Oui.

— Donc, tu n'as qu'à reprendre tes vêtements et rendre tes clés.

— Ce n'est pas aussi facile. J'ai un préavis à donner.

— Ce n'est qu'une question d'argent, Jade. Je réglerai ça.

— Mais je ne peux pas te laisser faire ça ! Cela représente deux mille dollars au moins ! Je suppose que tu as déjà assez de dépenses comme ça avec la pension de Lenore et…

— Jade, coupa-t-il. Il est temps pour toi d'ouvrir les yeux : je ne suis plus le gamin des rues que ton père a recueilli. Mon salaire et l'argent que je gagne avec le théâtre me permettent de vivre confortablement. Et mes grands-parents maternels, bien qu'ils aient refusé de me voir après avoir déshérité ma mère, ont malgré tout fait de moi leur héritier. Il n'y a donc aucun problème. Je peux parfaitement aider ma sœur adoptive préférée à se sortir d'une situation délicate.

— Je… je suis ta sœur adoptive préférée ? répéta Jade, une boule dans la gorge.

Un sourire un peu triste étira les lèvres de Nathan.

— Préférée, et unique. J'aimerais d'ailleurs que tu reprennes ce rôle, Jade. J'aimais jouer les grands frères. Tout ce qu'il y a eu d'autre entre nous ne collait pas vraiment, même si je dois avouer que tu as représenté une réelle tentation. D'ailleurs, je ne vois pas comment un homme normalement constitué pourrait te résister.

Jade dissimula son plaisir et eut un rire narquois.

— Je connais au moins un homme qui y arrive très bien.

— Oh, non… Ne me dis pas que tu t'en es déjà trouvé un autre ? Enfin, je suis heureux d'avoir été rayé de ta liste, mais j'ai pitié de ce pauvre type, quel qu'il soit. Non, ne me dis rien ! Donne-moi juste les clés de chez toi. Je vais aller régler cette affaire et récupérer tes vêtements.

— Tu… tu ferais ça pour moi ?

— Je suis ton grand frère, non ?

Jade sentit son cœur se serrer, et sourit.

— Mon grand frère préféré.

Gemma était assise au bord du lit, déprimée et abattue, lorsque l'on frappa à la porte. Elle alla ouvrir et se trouva face à Jade, plus sexy que jamais dans son jean moulant et sa chemise d'homme blanche qui ne dissimulait en rien la perfection de ses formes.

— Je voulais juste te prévenir que Nathan en aurait pour un petit moment. Il va rapporter toutes mes affaires de mon appartement. Je vais rester à Belleview quelque temps.

— Mais je croyais que… tu avais dit…

— Que je n'avais pas l'intention d'emménager ici, acheva Jade avec un soupir. Oui, je sais, mais j'ai eu un problème assez sérieux avec un ami de mon colocataire actuel, et Nathan a estimé qu'il serait plus sûr que je reste ici. Je vais me trouver un nouvel appartement le plus vite possible, mais je dois dire qu'il n'est pas désagréable de se retrouver à la maison, entre-temps.

Gemma ne répondit rien. Ce n'était pas la première fois que Nathan faisait quelque chose de totalement contraire à ce qu'il clamait haut et fort. Il affirmait détester Lenore, mais l'avait embrassée. Quant à sa sœur, il prétendait ne plus supporter ses frasques, mais il lui avait suggéré de revenir provisoirement vivre à Belleview.

Puis Jade, à sa surprise, posa une main affectueuse sur son bras.

— Ne va pas t'imaginer que j'ai des vues sur Nathan, poursuivit-elle doucement. J'avoue m'être crue amoureuse de lui, à une époque, mais ça n'a pas duré très longtemps. Et je sais que tu es ce qui pourrait lui arriver de mieux. Parce que tu es quelqu'un de bien.

Gemma fut déroutée par ces compliments et par l'intuition de la jeune femme.

— Comment... comment sais-tu que je suis quelqu'un de bien ? demanda-t-elle.

— J'ai entendu chanter tes louanges par tout le monde pendant tout le week-end. A franchement parler, j'étais prête à te détester, mais je n'ai pas réussi. Peut-être que je n'ai plus assez de colère en moi. Ou peut-être ai-je mûri, ces derniers temps. Il faut dire qu'en l'espace de deux jours j'ai échappé à un violeur, échoué à séduire un homme qui me plaisait et ai été engagée au poste que je convoitais depuis longtemps. Je me sens vidée.

Elle adressa un large sourire à Gemma, qui secoua la tête.

— Tu es folle.

Jade se mit à rire.

— Tu l'as dit ! Allez, viens, on va boire un chocolat chaud dans la cuisine et tu me raconteras l'histoire de ta vie.

Gemma se laissa entraîner, abasourdie, n'osant pas protester.

— Je crois que ta vie est plus intéressante que la mienne, fit-elle valoir.

— Oh, non, ma vie est tout ce qu'il y a de plus ennuyeuse. Mais je dois avouer que les perspectives s'améliorent.

— Tu as vraiment échappé à un violeur ?

— Oui. Je l'ai frappé là où ça fait mal.

— Mon Dieu... Et... tu n'as pas eu peur ?

— J'étais morte de trouille. Et furieuse en même temps.

— Et qui est ce type que tu n'as pas pu séduire ? interrogea Gemma, se demandant comment un homme normalement constitué pouvait résister à une fille pareille.

— Un certain Kyle Armstrong. Le nouveau directeur du marketing de Whitmore Opals. Un vrai canon. Mais j'ai eu beau déployer tous mes charmes, ça n'a rien changé à l'affaire. Quoi qu'il en soit, il n'était pas idiot au point d'ignorer son intérêt. Il m'a engagée à mi-temps dans l'entreprise jusqu'à la fin de mes études. Je rêvais d'y entrer.

— Tu fais des études ?

— Eh oui. C'est qu'il y en a, derrière mon physique de bimbo.

— Je… je…

— Dis-moi, enchaîna Jade sans lui laisser le temps de finir, qu'est-ce qu'une jeune femme bien comme toi vient faire dans un nid de vipères tel que Belleview ? Et pas de bobards ! Je veux la vérité, rien que la vérité !

Au retour de Nathan, une heure plus tard, Gemma en avait presque terminé avec l'histoire qui l'avait menée en ces lieux. Bien sûr, elle avait omis certains détails, comme la nature de sa relation avec Nathan. Car elle savait que ce dernier serait furieux si elle trahissait leur secret, surtout devant Jade !

— Je pensais que tu serais déjà couchée, commenta-t-il en entrant dans la cuisine.

— Elle t'attendait, intervint Jade. Je veux dire, pour te souhaiter une bonne nuit. Nous avons eu une conversation passionnante. C'est incroyable, cette histoire d'opale volée ! Tu sais, celle qu'on appelle l'Opale noire.

— Merci, je suis au courant.

— Mais quelle coïncidence, quand même ! Et quelle honte que son acte de naissance ait été falsifié ! Gemma aura bien du mal à retrouver la famille de sa mère, maintenant. Est-ce que tu ne pourrais pas l'aider ? Engager un détective privé, ou quelque chose du genre ? Ces types ont accès à bien plus d'informations que le commun des mortels.

— C'est bien ce que je compte faire, Jade. En attendant, tu ne veux pas savoir ce qui s'est passé avec ton ami Roberto ?

— Pas si tu as eu recours à la violence.

— Ça n'a pas été nécessaire. Dès que je lui ai dit ce qui lui arriverait, ainsi qu'à ses amis, s'il restait une seconde de plus, il a déguerpi.

— Pauvre Roberto…

— Réserve ta compassion pour des gens qui en ont vraiment besoin, Jade. A présent, si vous veniez m'aider à décharger la voiture des affaires de Madame ?

— A t'entendre, j'en ai des tonnes ! Alors que je ne porte presque que des jeans et des T-shirts !

— Je t'ai également rapporté tes draps, tes serviettes, tes couettes. Nous n'avons qu'à tout empiler dans la buanderie. Tu pourras aider Melanie à trier et à ranger demain matin.

— J'ai un cours à 8 heures…

— Je pourrai lui donner un coup de main en revenant de ma leçon de japonais, proposa Gemma.

— C'est gentil ! dit Jade en souriant. Tu es un amour. Pas vrai que c'est un amour, Nathan ?

— Si. Mais n'en profite pas.

— Parce que ce n'est pas ce que tu fais, peut-être ? marmonna Jade après que Nathan eut disparu de nouveau dans le garage.

Gemma fit mine de n'avoir rien entendu. Mais le sous-entendu derrière ce commentaire l'inquiéta. Jade savait. Non seulement elle savait, mais elle s'était fait un jugement. Une nouvelle fois, Nathan se voyait considéré comme un séducteur impénitent. N'y avait-il donc qu'elle pour le croire capable d'aimer ?

Fronçant les sourcils, Gemma se rappela que tout le monde à Belleview connaissait Nathan bien mieux qu'elle, après tout.

Etait-elle naïve de croire qu'il allait l'épouser ? Se jouait-il d'elle dans le simple but de coucher avec elle ? Etait-ce la raison pour laquelle il tenait à garder le secret ?

Sa raison lui soufflait qu'elle avait motif à s'inquiéter, mais son cœur se refusait à céder au doute. Nathan l'aimait, et il l'épouserait. Elle en était sûre.

Pour autant, il serait peut-être préférable de ne plus faire l'amour avec lui, surtout ici, à Belleview. Il lui avait promis qu'ils seraient mariés dans un mois, cinq semaines tout au plus. Un homme amoureux pouvait bien se passer de sexe durant tout ce temps-là, n'est-ce pas ?

Elle l'espérait sincèrement, en tout cas. Bien sûr, elle-même considérait déjà ce sacrifice comme pénible. Mais pas irréalisable. Car même si l'amour avec Nathan était la chose la plus merveilleuse du monde, elle pensait pouvoir s'en passer durant quelque temps. Elle n'était tout de même pas esclave de ses sens à ce point.

Sa décision prise, elle prit sa tasse vide et jeta un regard à Jade, qui paraissait elle aussi perdue dans ses pensées.

— Tu as fini ton chocolat ? demanda-t-elle.

— Pardon ? Oh, oui. Mais je peux laver ma tasse toute seule.

— Laisse, ça ne me dérange pas.

Les deux tasses à la main, Gemma se dirigea vers l'évier et ouvrit le robinet. Après quelques secondes, la voix de Jade se fit entendre dans son dos, hésitante.

— Gemma ?

— Oui ?

— Oh… rien. Je… je ferai bien d'aller me coucher si je veux me lever demain matin. Merci encore.

Gemma la regarda quitter la cuisine, étonnée de constater qu'elle l'appréciait. Si elle avait été amoureuse de Nathan autrefois, ce n'était à l'évidence plus le cas. Et c'était tant mieux, car Jade était un véritable sex-symbol.

Peut-être était-elle de ces filles qui tombaient amoureuses sur un coup de tête, et se lassaient tout aussi vite. Gemma en avait connu des tas à l'école. Un garçon séduisant leur souriait, et elles perdaient la tête au point d'en oublier leur petit ami du moment. Puis tout recommençait la semaine suivante.

Gemma, pour sa part, n'avait jamais été ainsi. Elle avait toujours trouvé les garçons immatures et inintéressants, et n'avait jamais eu de véritable petit ami. Cette attitude était certainement due à cette affreuse nuit où, durant sa jeunesse, un mineur ivre avait tenté d'abuser d'elle. Elle n'avait été sauvée que parce qu'il avait sombré dans un coma éthylique avant de pouvoir mener la chose à son terme.

Rétrospectivement, cependant, elle comprenait que le fait de ne pas avoir de petit ami était également dû à son âge réel. Elle avait eu, après tout, deux ans de plus que ses camarades de classe. Physiquement aussi bien qu'intellectuellement.

Le fait que, selon Nathan, son certificat de naissance était valable ne l'avait pas fait changer d'avis. Elle savait qu'elle n'avait pas dix-huit ans mais bientôt — ou déjà — vingt ans. Cette photo de sa mère et de son père l'avait prouvé, tout comme elle avait prouvé que son père était un menteur. Et plus elle y pensait, plus elle était persuadée qu'il était également un voleur. Il avait dérobé cette extraordinaire opale. Voilà pourquoi il l'avait cachée. Voilà pourquoi il ne l'avait pas vendue !

Comment il avait réussi à s'en emparer, cela demeurait un mystère. Peut-être avait-il bénéficié d'une complicité à Belleview ? En tout cas, il y avait eu activité criminelle à un moment ou à un autre, ce qui expliquait les mensonges, le mystère, les secrets.

Gemma se rappela soudain qu'il lui fallait donner cette fameuse photo à Nathan. Mais pas ce soir. Il était trop risqué pour elle, étant donné ses nouvelles résolutions, de se rendre de nuit dans sa chambre. Elle pourrait tout aussi bien lui donner le cliché au petit déjeuner.

De même, elle ne retournerait pas à Avoca en sa compagnie. Du moins, pas tant qu'ils ne seraient pas mariés. Voilà qui lui permettrait de s'assurer de la sincérité des intentions de Nathan et de dissiper ses derniers doutes.

Après avoir nettoyé les deux tasses, elle éteignit la cuisine et monta dans sa chambre, songeant que sa mère aurait été fière d'elle.

6.

Le mercredi suivant, Jade se réveilla en proie à une agitation qui n'était pas uniquement due à la perspective de sa première journée de travail. Vivre à Belleview, en effet, s'était avéré plus pénible qu'elle ne l'avait supposé.

Elle avait peine à reprendre son rôle de fille, surtout lorsque son père était d'une humeur aussi massacrante. Elle s'était habituée à son indépendance, et cela faisait longtemps que personne n'avait critiqué sa façon de s'habiller ou ses horaires. Même les conseils d'Ava, qui partaient en général d'une bonne intention, commençaient à l'exaspérer. Sa tante avait de plus refusé d'accepter les bijoux légués par Irène. A croire qu'elle se satisfaisait de son rôle de vieille fille excentrique, démunie, qui passait sa vie à peindre dans son studio en attendant l'homme de ses rêves qui ne viendrait jamais.

Et pour couronner le tout, la relation de Nathan et Gemma la mettait très mal à l'aise. Ces deux-là offraient aux yeux de tous un numéro bien rôdé : conversations anodines, absence de contact physique, indifférence polie. Mais la chambre de Nathan était en face de celle de Jade, et elle avait entendu sa porte s'ouvrir doucement, puis se fermer, la nuit passée.

Trop excitée à l'idée de travailler, elle n'avait en effet pu trouver le sommeil. Elle était encore éveillée lorsque, bien plus tard, elle avait de nouveau entendu du bruit. A pas de loup, elle était allée jeter un œil dans le couloir, juste à temps pour voir une Gemma en petite tenue regagner sa propre chambre. Et il était évident qu'elle ne venait pas du rez-de-chaussée.

Jade avait eu encore plus de mal à s'endormir après cela. Comme tout le monde à Belleview, elle s'était en effet prise d'affection pour Gemma, avec ses manières douces et innocentes. Et malgré sa réconciliation avec Nathan, elle savait que la jeune femme méritait mieux qu'un homme aussi émotionnellement tordu. Et aussi dangereux sexuellement.

Se rendait-il compte de la vulnérabilité de Gemma ? Une fille aussi naïve qu'elle pouvait se croire éperdument amoureuse simplement parce qu'elle manquait d'expérience en matière sentimentale. Elle s'imaginait sans doute que Nathan était également amoureux d'elle. Peut-être le lui avait-il même dit, dans les affres de la passion…

Jade ne voulait pas juger son frère adoptif trop durement. Après tout, il s'était révélé bien plus généreux et tolérant qu'elle ne l'avait supposé. Mais il ne servait à rien d'ignorer le danger qu'il représentait pour une femme. Peu après leur divorce, en effet, Lenore avait confié à Jade que tout ce qu'il recherchait, c'était une partenaire élégante pour briller en société et satisfaire sa libido. Point. Complicité et intimité ne faisaient pas partie de son vocabulaire. Elle avait ajouté que, si elle n'était pas tombée enceinte de Kirsty, Nathan ne l'aurait jamais épousée, pas plus qu'il n'aurait épousé une autre femme !

Elle avait dit aussi qu'elle aurait pu se contenter de cela. Apparemment, Nathan était si doué au lit que cela rachetait tous ses autres défauts. Mais, lorsqu'il écrivait une pièce, il arrêtait presque toute activité sexuelle. Lenore n'avait pu supporter de se voir refuser cette consolation en sus de tout ce qu'elle avait à subir.

Jade supposait cependant qu'il y avait une autre raison à ce divorce, un secret que tout le monde ignorait. Mais la conclusion de tout cela restait la même : Nathan était le pire des maris.

Dieu merci, il ne risquait pas d'épouser Gemma. Après son divorce, en effet, il avait clairement fait comprendre qu'il ne se remarierait pas. Mais cela ne changeait rien au fait qu'un jour où l'autre Gemma allait se retrouver au bord de la route, seule, abandonnée. Comme si la pauvre n'avait pas déjà assez souffert dans sa vie ! Au moment même où elle avait hérité de l'opale, qui aurait pu lui apporter un certain soulagement en lui ôtant toute préoccupation financière, elle avait appris que la pierre avait été volée ! Et si Byron lui avait donné une récompense pour la restitution de l'Opale noire, que pesaient quelques dizaines de milliers de dollars face à la fortune qu'elle valait en réalité ?

Jade songeait encore à tout cela lorsqu'elle descendit prendre son petit déjeuner le lendemain matin. Elle était bien décidée à lâcher quelques allusions subtiles lorsqu'elle se retrouverait seule avec Nathan. Peut-être ne se rendait-il tout simplement pas compte de la fragilité de Gemma.

Mais s'il en avait conscience et qu'il la faisait souffrir, Jade était prête à lui arracher les yeux ! A bien y repenser, pourquoi ne pas accepter sa proposition de la conduire au travail ? Elle avait d'abord refusé, par esprit d'indépendance et de contestation, mais cela lui fournirait l'occasion rêvée de lui exprimer ses craintes.

— Prête pour ton premier jour ? demanda l'intéressé en personne lorsqu'elle pénétra dans la cuisine. Eh, tu es superbe dans ce tailleur. Je ne t'ai jamais vue aussi…

Il s'interrompit, fronça les sourcils et reprit :

— Qu'est-ce que j'ai fait pour que tu me regardes comme ça ? Je ne me moquais pas de toi, tu sais ! Tu es superbe dans ce tailleur noir.

Jade s'efforça de sourire, mais le cœur n'y était pas. L'hypocrisie n'était pas son fort. Lorsqu'elle était en colère contre quelqu'un, elle ne pouvait s'empêcher de le montrer, ce qui n'était sans doute pas une qualité dans le monde des affaires. Elle était sûre qu'une femme comme Celeste Campbell, par exemple, savait parfaitement dissimuler ses sentiments.

— Désolée, lâcha-t-elle dans un soupir. Je suis un peu nerveuse, ce matin. Où est Gemma ? Je suppose qu'elle fait la grasse matinée ?

Jade espéra aussitôt que Nathan n'avait pas perçu le sous-entendu involontaire de sa remarque, mais il se contenta de hausser les épaules d'un air parfaitement détaché.

— Comment veux-tu que je le sache ?

Diable, il était bon acteur. Et cela ne fit qu'ajouter à son inquiétude. Il ressemblait dangereusement à Kyle Armstrong.

Kyle Armstrong…

Son visage emplit soudain l'esprit de Jade. Elle se remémora, comme s'il se tenait en face d'elle, ses cheveux bouclés, son regard noir et brillant. Et dire qu'elle allait passer toute la journée avec lui !

Cette troublante perspective eut le mérite de lui faire oublier les frasques sentimentales de Nathan jusqu'à la fin du petit déjeuner. De fait, Jade en oublia presque de dire à celui-ci qu'elle acceptait sa proposition de la conduire au travail. Seule l'arrivée de Gemma, accompagnée de Kirsty, la fit revenir à la réalité.

— Au fait, Nathan, j'aimerais bien que tu me déposes au travail, en fin de compte.

— Pas de problème.

Une certaine inquiétude voila le beau visage de Gemma à cette nouvelle. Jade en vint à se demander si la jeune femme la considérait encore comme une menace. Et cela ne faisait que renforcer ses pires craintes. Gemma se croyait peut-être mûre, mais elle l'était cent fois moins qu'une fille du même âge qui aurait reçu une éducation normale, dans une grande ville moderne. Et un million de fois moins que Nathan !

— Ouah, Jade, tu es superbe ! s'exclama Kirsty en prenant place à table.

— C'est vrai, renchérit Gemma, encore qu'avec moins d'enthousiasme.

— Merci bien. Je redoutais d'être un peu trop habillée. Lenore m'a emmenée dans une boutique spécialisée dans le look « femme d'affaires », et j'ai acheté trois tailleurs : un blanc, un noir et un rouge, que je peux combiner.

— Vraiment ? s'enquit Gemma, une lueur d'intérêt dans le regard. Quelle boutique ? Je vais avoir besoin de tailleurs pour aller travailler, moi aussi.

— C'est Chatswood. Je pourrai t'y conduire demain soir, si tu veux.

— Demain soir ?

— Oui. C'est une boutique ouverte en soirée. Je suppose que ça n'existait pas à Lightning Ridge ?

— Certainement pas, répondit Gemma en riant.

— Je proposerai à Lenore de venir avec nous. Elle a l'œil pour ce genre de choses, et elle est d'excellent conseil.

— Gemma est parfaite comme ça, lança Nathan d'une voix qui trahissait la nature de ses sentiments à l'égard de l'intéressée.

Il était non seulement possessif, mais soucieux de préserver la personne qu'elle était. Il ne voulait apparemment pas la voir changer d'un iota, ce que Jade résolut en silence de faire au plus vite. Elargir les horizons de Gemma permettrait peut-être à cette dernière d'échapper aux griffes de Nathan. Et quand bien même il s'imaginait amoureux d'elle, ce n'était pas un amour très sain s'il était fondé sur la domination et non sur le respect mutuel. Jade détestait les hommes qui profitaient d'une relation sentimentale pour imposer leur volonté à leur partenaire. L'amour, le vrai, n'était pas fait de contraintes.

— C'est à elle d'en décider, tu ne crois pas ? répondit-elle suavement. Ce n'est plus une gamine. Et même si elle en était une, tu n'es ni son père, ni son grand frère. Tu n'as donc pas voix au chapitre.

Puis, se tournant vers Gemma, elle lui adressa un large sourire.

— J'appellerai Lenore aujourd'hui, et nous fixerons une heure pour demain soir. Quand commences-tu à travailler ?

— Dans un mois environ.

— Le temps va passer vite.

— Je l'espère.

L'accent mélancolique dans la voix de Gemma n'échappa pas à Jade, qui se promit de la sortir plus souvent. Gemma avait besoin d'une amie, c'était évident, peut-être même d'une confidente. Et Jade avait des tonnes de conseils à donner à une pauvre âme sensible éperdue d'amour pour Nathan. Après tout, elle avait connu cela… Lenore se révélerait peut-être également utile de ce point de vue-là.

Lorsque enfin Jade se retrouva dans la voiture de Nathan, en route pour le centre-ville, elle se sentait de nouveau en colère contre lui. Mais mieux valait éviter d'aborder le sujet de front et jouer sur du velours. Elle ne voulait pas qu'il se referme comme une huître, ce qui risquait d'arriver s'il se sentait agressé. Elle décida donc qu'un commentaire sur la météo serait le meilleur moyen d'engager la conversation.

— Belle journée, n'est-ce pas ?

— Il fait un peu frais dans la voiture, repartit Nathan. C'est à cause de moi, ou dois-je attribuer la chose à ta nervosité ?

— Pardon ?

Nathan se mit à rire.

— Allons, Jade, je te connais depuis assez longtemps. Tu cherches la bagarre, mais tu ne sais pas très bien par où commencer.

Jade pinça les lèvres. S'il y avait bien une chose qu'elle détestait davantage qu'un tyran machiste, c'était un tyran machiste perspicace !

— J'admets avoir un problème dont l'abord requiert une certaine subtilité, répondit-elle d'un ton irrité.

— Te voilà exclue du jeu, alors. La subtilité n'a jamais été ton point fort.

— Dans ce cas, j'oublierai la subtilité au profit d'une honnêteté brutale, répliqua-t-elle, piquée au vif.

Elle inspira pour se donner du courage, puis se lança.

— Je sais que tu couches avec Gemma. La chose est non seulement répréhensible du fait de son inexpérience en matière sexuelle, mais également de très mauvais goût, avec ta propre fille qui dort au bout du même couloir.

Un silence fracassant suivit cette remarque. Après une minute, Jade n'y tint plus.

— Dis quelque chose, bon sang !

Le regard qu'il lui décocha aurait tué un serpent à sonnette à cent mètres de distance.

— Je suis encore en train de digérer ton culot.

— Mon culot ? Au moins, je m'échappais pour aller à mes rendez-vous galants ! Je n'ai jamais fait rentrer l'un de mes petits amis dans ma chambre au beau milieu de la nuit !

Nathan crispa les mains sur le volant, et Jade se demanda si elle n'était pas allée trop loin.

— Si je ne l'avais pas entendu de mes propres oreilles, dit-il lentement, je ne l'aurais pas cru. Jade Whitmore qui me donne des leçons de morales ? Je te rappelle, madame la Vertu, que j'ai passé la moitié de ma vie à repousser les femmes de la famille Whitmore, qui ont toutes à un moment ou l'autre essayé d'entrer dans ma chambre. Je les ai toujours repoussées, et je ne l'ai jamais regretté. Tu es venue toi-même te jeter dans mes bras, à peine vêtue, à un moment où j'étais sexuellement vulnérable. Et voilà que tu te permets de me critiquer ? De porter un jugement sur moi ?

Un assaut de culpabilité la paralysa pendant quelques secondes, puis elle reconnut cet argument pour ce qu'il était : une ruse habile pour détourner la conversation du véritable problème, à savoir sa relation avec Gemma.

— Je sais que j'ai agi stupidement, Nathan. Mais une bonne fois pour toutes, je ne suis pas aussi dévergondée que papa ou toi semblez le croire. Mes amants se comptent sur les doigts d'une main. Et ça n'a aucun rapport avec ce qui se passe entre Gemma et toi.

Un nouveau silence s'abattit entre eux. Cette fois, cependant, ce fut Nathan qui le rompit le premier, d'une voix un peu moins glaciale qu'auparavant.

— Je ne le dirai qu'une fois, Jade. S'il y avait quelque chose entre Gemma et moi, ça ne regarderait que nous. Quand tu as grandi, j'ai toujours respecté ce privilège de tout adulte qu'est sa vie privée. Ce que tu fais de ta vie privée ne regarde que toi, ce que je fais de la mienne ne regarde que moi. Ai-je été clair ?

— Parfaitement.

— J'espère que tu n'as pas répandu ces calomnies sur mon compte à Belleview ?

— Pas encore, mais je doute d'être la seule à avoir des soupçons.

— Je crois que tu te trompes.

— Tu essaies de me dire que tu n'as pas couché avec Gemma ?

— Qu'est-ce qui te fait croire que c'est le cas ?

— Je l'ai vue quitter ta chambre la nuit dernière.

— Nous n'avons fait que parler. Elle était inquiète au sujet de quelque chose.

— Je ne te crois pas.

— C'est la vérité, dit-il en la regardant droit dans les yeux.

Diable, voilà qu'elle le croyait…

— Tu veux dire qu'il n'y a rien entre vous ?

— Non, répondit-il fermement. Rien du tout.

— Eh bien… J'aurais juré du contraire…

— Si tu mentionnes ça à Gemma, elle sera terriblement embarrassée. Elle n'est pas aussi sophistiquée que toi, tu sais. Elle mourra de honte, et elle voudra probablement quitter Belleview. Ce n'est pas ce que tu veux, n'est-ce pas ?

— Non ! Bien sûr que non ! Je ne lui dirai rien si tu promets de ne pas la faire souffrir. Elle est bien trop fragile pour un type comme toi.

Il partit d'un rire noir, mais hocha la tête.

— Je te promets de ne pas faire souffrir Gemma. Là, ça te va ?

— A peu près. Mais fais attention, je pense qu'elle a un petit faible pour toi.

— Tu crois ?

— Oui.

— Oh, puisque nous parlons de Gemma, autre chose… Cette expédition shopping, demain soir… Ne laisse pas Lenore transformer Gemma en un clone d'elle-même, d'accord ? Son charme vient de son naturel. Quel intérêt de changer un modèle unique en un modèle produit en masse ? Les femmes comme Lenore se comptent par milliers, à Sydney.

— Je ne me rendais pas compte que tu détestais cette pauvre Lenore à ce point.

— Je ne la déteste pas.

— C'était bien imité, en tout cas.

— Un divorce, c'est difficile. Ça laisse des traces.

— Je suppose que Lenore porte les siennes ?

— Ah, la solidarité féminine, dit Nathan en riant. Tu es devenue féministe ?

— Comment ça, « devenue » ? Ça fait des années que je ne porte pas de soutien-gorge !

Il lui décocha un regard amusé, puis reprit :

— Au moins, sous cette veste, ça ne se voit pas.

— Même si ça se voyait, ça n'aurait aucune importance. Ce genre de choses laisse le type pour lequel je vais travailler de marbre.

— Vraiment ? Je ne savais pas que tu l'avais rencontré.

— J'étais là le soir où il est resté dîner.

— Mais il n'a pas voulu de toi comme dessert, c'est ça ?

— Il n'a même pas voulu goûter, annonça Jade avec un soupir théâtral.

— C'est qu'il a mauvais goût, alors. A moins qu'il ne soit gay, comme Roberto.

Jade tourna brusquement la tête vers lui.

— Oh mon Dieu, je n'avais jamais pensé à ça…

Puis, presque aussitôt, son esprit rejeta farouchement cette idée.

— Non, reprit-elle avec assurance. Il ne l'est pas.

— Qu'est-ce que tu en sais ?

— Je le sens. Mes antennes n'auraient pas aussi bien fonctionné, sinon. En revanche, il doit déjà avoir une petite amie. Voilà le problème. Notre directeur du marketing, aussi sexy soit-il, n'est pas disponible.

— Il t'a vraiment tapé dans l'œil ? Ça me surprend. Il m'a paru plutôt froid et arrogant quand je l'ai rencontré, lundi. J'ai d'abord cru qu'il était né avec une cuillère en argent dans la bouche et qu'il n'avait jamais eu à lever le petit doigt, mais son CV révèle un passé très ordinaire. Il a travaillé sept ans dans une multinationale alimentaire, dont les trois dernières années à la tête du marketing. Une carrière tout ce qu'il y a de plus normal, en somme, qui ne s'accorde pas très bien avec son ego.

— Tout à fait d'accord avec toi. Il est d'une arrogance insupportable. Mais je dois avouer qu'il a joué finement avec papa. Il a paru dévoué mais pas obséquieux.

— Vraiment ? Hmm, dans ce cas, il faudra peut-être surveiller ce M. Armstrong…

Nathan resta un instant silencieux et pensif, puis un sourire naquit sur ses lèvres.

— Mais ce sera à toi de le surveiller, Jade. Je termine chez Whitmore lundi pour me consacrer à plein temps à l'écriture.

Jade le dévisagea, prise de court par la nouvelle.

— Quoi ? Tu pars ?

— Oui.

— Et… tu vas continuer à vivre à Belleview ?

— Non.

Jade en conçut une certaine satisfaction. Il lui serait plus difficile de séduire Gemma en ne vivant plus sous le même toit qu'elle.

— Je suppose que tu vas t'installer à Avoca ? Tu as toujours aimé cette maison, surtout pour écrire.

— C'est exact. C'est bien là que je compte m'installer.

— Et Kirsty ?

— Je pense qu'elle devra rentrer vivre avec sa mère, répondit Nathan avec un froncement de sourcils.

— Ne t'en fais pas. C'est là qu'elle est le mieux. Et Lenore l'adore. Elle avait simplement besoin d'un répit. Tu sais comment sont les adolescentes…

Jade ne put s'empêcher de sourire en songeant à ses propres escapades. Nathan dut penser à la même chose, car il lui coula un regard de biais et se racla la gorge.

— Peut-être que Lenore laissera Gemma vivre avec elles, reprit Jade, vu que Kirsty et elle s'entendent à merveille. Ça pourrait être une bonne idée. D'autant plus que Lenore doit répéter une nouvelle pièce, et que beaucoup de ses soirées vont être prises.

— Lenore a déjà une personne qui s'occupe de Kirsty lorsqu'elle n'est pas là. Je doute qu'elle ait besoin d'une troisième personne sous son toit. Surtout, ajouta Nathan d'un ton acerbe, qu'elle semble très attachée à son intimité, en ce moment.

— Et Gemma va rester sur le carreau, c'est ça ? Tu sais très bien qu'elle ne connaît personne à Sydney, la pauvre. Ce qui me fait penser... Tu as trouvé des informations sur sa mère ou sur sa famille ?

— Gemma m'a donné une photo et j'ai demandé à Zachary d'engager un détective qu'il connaît pour s'occuper de l'affaire. Quant à Gemma elle-même, je ne vois pas de raison pour qu'elle ne reste pas à Belleview. Melanie et Ava l'apprécient beaucoup.

— Tu es sûr que ce n'est pas toi qui l'apprécies ?

Son compagnon lui adressa un sourire qui la fit frissonner, et murmura :

— Tu n'abandonnes pas aisément, n'est-ce pas ?

— Je ne suis pas du genre à sous-estimer les besoins physiques d'un homme, répondit-elle, songeant fugitivement au jour où elle avait surpris son père dans les bras de Mme Parkes. Tu ne sembles pas avoir de petite amie, en ce moment. Et comme tu n'es pas en train d'écrire...

Le regard de Nathan se durcit comme il se posait sur elle.

— Eh bien, tu en sais, des choses. A moins que ma chère ex-femme ait parlé...

— Les femmes parlent. Tu le sais.

— Pas les hommes, rétorqua-t-il sèchement. Et encore moins de leur vie privée. Alors arrête de mettre ton nez dans la mienne. Occupe-toi plutôt de tes affaires, qui sont sans nul doute assez passionnantes pour t'accaparer.

— Un jour, tu te rendras compte que je ne suis pas la débauchée que tu crois.

De nouveau, Nathan sourit. Tout son être exprimait le scepticisme avec un grand S. Et soudain, Jade fut impatiente de le voir quitter Whitmore Opals, ainsi que Belleview. Elle en avait assez d'être montrée du doigt, jugée, critiquée. Elle avait également l'intuition que Gemma ne serait pas en sécurité avec Nathan dans les parages.

Oui, tout le monde ne s'en porterait que mieux lorsqu'il serait parti...

7.

Comme Nathan traversait Harbour Bridge, Jade se rendit compte qu'elle n'avait pas mis les pieds dans les bureaux de Whitmore depuis une éternité. Elle savait cependant que rien n'avait dû changer, là-bas, du fait du caractère plutôt conservateur de son père.

Whitmore Opals occupait la moitié du septième étage d'un immeuble plutôt discret, qui donnait sur une allée située juste derrière les luxueux immeubles du port. La vue, depuis les bureaux, était dégagée et offrait une belle perspective sur le parc situé non loin de là.

La réception était accueillante, sans fantaisie cependant, avec ses fauteuils de cuir noir et sa moquette bleue. Le bureau et la secrétaire qui l'occupait depuis maintenant douze ans étaient à l'avenant. Moira avait été engagée pour ses capacités professionnelles, pas pour son physique. Byron, en effet, n'était pas du genre à engager une poupée Barbie dont la seule qualité aurait été de répondre au téléphone d'une voix chantante et de lancer des sourires enjôleurs aux clients.

Byron ne croyait pas davantage à la nécessité de dépenser de l'argent dans de la décoration ou du luxe inutiles. Les bureaux étaient confortables mais modestes, et personne à l'exception de Byron ne disposait d'une secrétaire particulière, si du moins Moira pouvait être qualifiée comme telle. Chaque département était rassemblé dans une grande pièce organisée en espace ouvert, à l'exception de la création, dont les membres avaient chacun un bureau pour travailler tranquillement. C'était là qu'étaient fabriquées, en quantités limitées ou parfois en exemplaire unique, les pièces qui avaient fait la réputation de Whitmore Opals. La société s'était toujours refusée à se lancer dans la production de masse, et n'avait jamais produit de doublés ou de triplés, qui consistaient en de fines tranches d'opales collées sur un fond de verre noir et rehaussées de cristal. Le résultat était une pierre d'apparence plus grosse et plus brillante, beaucoup moins chère qu'une opale pure.

Jade estimait qu'il s'agissait là d'une erreur. Tout le monde ne pouvait en effet se permettre d'acheter une véritable opale, et ne considérait pas une telle pierre comme un investissement. Si elle avait été à la tête de Whitmore, Jade se serait également lancée dans une production de bijoux moins coûteux, qu'elle aurait pu vendre dans de nombreuses boutiques fantaisie, en Australie aussi bien qu'à l'étranger. Oui, Whitmore était devenue un dinosaure. Restait à espérer que les choses allaient changer avec l'arrivée de Kyle Armstrong.

Empruntant une rampe de parking située à l'arrière du bâtiment, Nathan descendit jusqu'au deuxième sous-sol et se gara à côté d'un coupé de sport gris, qu'elle reconnut comme étant celui de Kyle.

— Je pourrais utiliser ta place de parking quand tu seras parti ? demanda-t-elle lorsqu'il eut coupé le contact.

— Désolé. C'est la place de Byron. La mienne a déjà été donnée à ton M. Armstrong.

— Ce n'est pas « mon » M. Armstrong. Pas encore, ajouta Jade, davantage pour irriter Nathan que parce qu'elle comptait séduire l'intéressé.

Elle avait en effet compris la leçon, et n'avait aucune intention de subir de nouveau un revers aussi cuisant...

— Dans ce cas, tu n'auras pas à t'inquiéter pour le parking. Tu pourras venir avec lui...

— Très drôle.

Ignorant Nathan, elle déplia ses longues jambes et descendit de la voiture. Elle prit ensuite une minute pour lisser sa jupe, vérifier son maquillage dans le rétroviseur extérieur, s'assurer que sa coiffure était en place et humecter ses lèvres desséchées. Puis, prenant une profonde inspiration, elle passa la chaîne dorée de son sac à main sur son épaule et rejoignit son frère adoptif, qui l'étudiait d'un air goguenard.

— Pauvre Armstrong, murmura-t-il en la regardant des pieds à la tête.

Jade aurait sans doute trouvé une repartie caustique s'il n'avait pas aussitôt tourné les talons pour gagner les ascenseurs, où deux autres personnes attendaient déjà. Aucune ne travaillait chez Whitmore, puisqu'ils ne parlèrent pas à Nathan, qui demeura silencieux durant le trajet jusqu'au septième étage. Jade, sentant son appréhension revenir en force, s'en accommoda fort bien.

En quoi consisterait son travail ? Serait-elle capable de s'acquitter de sa tâche à la satisfaction de tous ? N'allait-elle pas se ridiculiser ? Autant d'interrogations qui lui trottaient dans la tête.

— Où as-tu installé Kyle ? demanda-t-elle sitôt qu'ils furent sortis de l'ascenseur, et se retrouvèrent seuls dans le couloir.

— Dans mon bureau. J'utilise celui de Byron.

— Et moi ? Où vais-je m'installer ?

— Kyle a fait mettre une table et un fauteuil pour toi dans son propre bureau.

— Pardon ? Tu veux dire que je vais passer la journée dans la même pièce que lui ?

Nathan s'immobilisa devant les doubles portes vitrées dont l'une portait la mention « Whitmore » et l'autre « Opals », en lettres noires.

— Pourquoi paniques-tu ? C'est un atout pour toi, si tu sais manœuvrer. Il n'y a rien de tel que de passer tout son temps avec quelqu'un pour créer une intimité. Je pensais que tu serais ravie de cet arrangement.

— Tu commences à m'échauffer les oreilles, Nathan…

Et, le fusillant du regard, elle le dépassa pour pousser la porte. Moira leva les yeux de son bureau, et parut à la fois surprise et ravie de la voir entrer.

— Mais c'est la petite Jade ! Devenue adulte, et très élégante ! J'ai failli ne pas vous reconnaître avec les cheveux blonds, mais ça vous va très bien.

— Merci, Moira. Vous avez l'air en pleine forme.

La secrétaire sourit, et répondit :

— Je dois avouer qu'il est moins épuisant de travailler pour Nathan que pour votre père. Mais je suppose que tout recommencera comme avant, dès lundi. A moins que M. Armstrong ne parvienne à décharger Byron d'une partie de son travail, ce qui lui permettrait d'être moins stressé. Qu'en pensez-vous, Nathan ?

— Je pense que tout le monde aura une grosse surprise. En général, une personne qui a frôlé la mort d'un peu trop près a tendance à prendre les choses avec philosophie. Je ne serais pas surpris de voir un Byron transformé revenir lundi matin. Je regrette presque de ne pas être là pour le voir. Moira, je prendrai le café dans mon bureau dans dix minutes.

Les deux femmes le dévisagèrent tandis qu'il s'éloignait, Moira avec surprise, Jade avec scepticisme. A ses yeux, Byron n'avait pas changé, et ne changerait jamais. Pour cet homme, le noir serait toujours noir, le blanc toujours blanc. Il y aurait toujours les bons et les méchants, le juste et le faux. Le gris

84

n'existait pas. Sauf dans sa propre vie, bien sûr, où le gris existait dans toutes ses nuances !

S'éclaircissant la gorge, la secrétaire fit pivoter sa chaise pour faire face à Jade.

— Alors ? Vous allez mettre un pied dans la société en aidant M. Armstrong deux jours par semaine, c'est bien ça ?

— C'est ça. Il est courageux, n'est-ce pas, d'engager une fautrice de troubles telle que moi ?

Jade supposait que Moira était au courant de tous les problèmes qu'elle avait posés ces dernières années, car Byron avait tendance à parler très fort lorsqu'il sermonnait quelqu'un au téléphone.

— Beaucoup d'adolescents sont un peu turbulents, répondit Moira. Mais vous m'avez l'air tout à fait adulte, désormais. Et très jolie, si je puis me permettre.

— Merci, Moira. C'est très gentil à vous. Bon, je crois que je ferais bien d'y aller, maintenant. Pour affronter le lion dans sa tanière.

— Avant cela, Jade, je voulais m'excuser de ne pas être allée à l'enterrement de votre mère. Mais il fallait quelqu'un pour tenir la boutique et, pour parler franchement, je ne la connaissais pas très bien. Elle ne venait pas très souvent aux fêtes du personnel et… et…

— Et elle n'a jamais invité personne à Belleview, acheva Jade, en proie à cette culpabilité familière due au fait que l'évocation de sa mère ne l'attristait pas.

Tout au plus était-elle capable de ressentir du regret. Le regret qu'Irène n'ait pas su se faire aimer.

— Ne vous en faites pas, Moira. Je comprends parfaitement.

La porte de l'ancien bureau de Nathan s'ouvrit à cet instant et Kyle apparut sur le seuil. Son regard froid et sensuel à la fois parut la frapper entre les deux yeux, et la tétanisa. Jade déglutit et tenta de se convaincre qu'il n'était pas si séduisant que cela, mais le spectacle qu'il offrait dans son élégant costume gris en offrait un démenti flagrant.

Un sportif assoiffé n'aurait pas lorgné une boisson fraîche avec plus d'avidité qu'elle en mettait à détailler Kyle. Prenant soudain conscience de cela, elle afficha un large sourire et s'approcha de lui, main tendue.

— Bonjour ! Vous avez vu, je suis à l'heure !

— En effet. Je vous ai installée dans le même bureau que moi.

— Oui, Nathan me l'a dit en chemin.

En pénétrant dans la pièce, elle constata aussitôt que son propre bureau avait été placé tout contre celui de Kyle, à angle droit. Seigneur, elle allait travailler encore plus près de lui qu'elle l'avait supposé !

Elle pivota soudain, au moment où son nouveau patron refermait la porte.

— Avant que j'oublie, serait-il possible de me réserver une de ces places de parking, en sous-sol ?

— Non, répondit-il abruptement en passant derrière son bureau.

— P-Pourquoi ?

— Parce que ça risquerait de créer des tensions avec les autres membres du personnel, qui n'y ont pas droit non plus. Les parkings sont réservés aux cadres, certainement pas aux assistantes à temps partiel.

Jade fronça les sourcils, vexée. Elle était davantage qu'une assistante à temps partiel.

— Mais en temps que fille de Byron, je pourrais sûrement…

— Je ne suis pas un farouche partisan du népotisme, coupa Kyle. Un privilège, ça se mérite. Ce n'est pas quelque chose qui vous tombe dessus tout cuit sur un plateau d'argent.

— Si vous êtes contre le népotisme, s'emporta Jade, pourquoi m'avoir proposé ce travail alors ? Si c'était pour faire plaisir à mon père, vous vous êtes complètement planté ! Il ne croit pas que les femmes soient utiles dans l'entreprise. La seule position dans laquelle il les aime, c'est la position allongée !

Jade regretta ces mots sitôt qu'ils furent sortis de sa bouche mais, à sa surprise, son compagnon se mit à rire.

— Laissez-moi vous assurer, Jade, que l'opinion de votre père n'a joué aucun rôle dans ma décision de vous embaucher. Même s'il se peut qu'il m'en soit reconnaissant, en fin de compte… J'ai simplement décelé en vous des qualités que ses préjugés l'empêchent de voir.

— Quelles qualités ? demanda-t-elle, quelque peu sceptique. Citez m'en une.

— L'audace.

Ce fut au tour de Jade de se mettre à rire.

— Vous trouvez que l'audace est une qualité ? Mon père ne serait pas de votre avis.

— Sans doute pas, non. Et je le comprends. Mais comme je vous l'ai déjà dit, je ne suis pas votre père.

— L'audace, hein ?

Il lui adressa un sourire qui lui coupa le souffle et fit presque regretter à Jade la mine glaciale qu'il avait arborée jusque-là.

— Je crois que vous avez eu assez de compliments pour ce matin. Je vous dirai simplement que je vous crois dotée de qualités susceptibles d'être autant d'atouts pour la société, si tant est que parveniez à les mobiliser. Vous avez besoin d'autorité, Jade. De lignes directrices pour dépenser votre énergie.

— Et vous allez fournir l'autorité ?

— Je préfère me considérer comme un guide.

— Dans ce cas-là, guidez-moi en m'expliquant comment me garer dans le quartier.

— J'ai dit « guide », pas baby-sitter. Débrouillez-vous pour vous garer. Et si vous n'y arrivez pas, prenez le train ou le bus, comme tout le monde. Vous pouvez aussi venir avec votre père. Il sera de retour dès lundi.

Furieuse, Jade serra les dents et compta en silence jusqu'à dix. Malgré elle, elle ne pouvait s'empêcher d'admirer la rigueur morale de Kyle… ainsi que ses compliments inattendus. Mais elle n'allait pas lui céder sans batailler ferme.

— Et vendredi après-midi ? Je viendrai tout droit de l'université. Je ne vais pas laisser ma voiture là-bas ?

— Vous ne pouvez pas y aller en train ?

— Si, mais mes cours finissent à 1 heure. Ça me prendrait une éternité de venir en transports en commun.

— Aucune importance. Je travaille tard le vendredi soir. Et vous aussi, puisque vous êtes mon assistante. Mais bon, je ne suis pas un tyran. Voilà ce que je vous propose : vous pourrez utiliser ma place de parking, vendredi, si vous me raccompagnez à la maison.

Jade marqua un temps d'arrêt. Elle ne s'était pas attendue à le voir capituler. Quant à le reconduire… son cœur s'emballa à cette idée. Décidément, ses bonnes résolutions n'avaient pas fait long feu.

— Où habitez-vous ? demanda-t-elle d'un ton qu'elle espérait détaché, alors que sa bouche s'était subitement asséchée.

— A Northbridge. Ce n'est pas si loin de chez vous.

— Bon. C'est d'accord.

Evidemment, elle aurait accepté son offre même s'il avait habité à Tombouctou. Mais il n'était pas censé le savoir…

— Très bien, lança tout à coup Kyle. Au travail. Vous voulez du thé ou du café ?

Jade fut déroutée par son offre. Elle s'était plutôt attendue à ce qu'il lui demandât d'aller lui chercher une boisson. Apparemment, ce n'était pas Nathan.

— Du café, s'il vous plaît. Noir. Sans sucre.

— Ah, oui, je me souviens. Comme moi. Installez-vous et commencez à regarder les chiffres que j'ai mis sur votre bureau. Je n'en ai pas pour longtemps.

Elle le suivit des yeux tandis qu'il quittait la pièce. Son port de tête était tout aussi altier que celui de Nathan. Mais son assurance était moins agressive que celle de son frère adoptif. Il y avait quelque chose d'éminemment séduisant chez cet homme qui pouvait se montrer extrêmement strict tout en offrant d'aller lui chercher un café. Kyle Armstrong, malgré ce qu'elle avait cru de prime abord, n'était pas un macho primaire. Et cela lui plaisait...

Secouant légèrement la tête, elle alla accrocher son sac au portemanteau. L'homme était intrigant, mystérieux. Ainsi, il aimait son audace ? Il n'en avait pourtant pas donné l'impression l'autre soir. Peut-être après tout n'appréciait-il cette qualité que sur un plan professionnel, pas personnel.

Quant à ce qu'il avait dit sur le fait qu'elle avait besoin d'autorité... Jade devait reconnaître qu'il n'avait pas complètement tort. Il était grand temps pour elle de dompter sa nature sauvage et irascible. Grand temps d'arrêter de jouer les rebelles. Le temps de l'action était venu : elle prouverait à son père qu'elle pouvait contribuer à la prospérité de l'entreprise familiale.

Elle se tenait toujours près du portemanteau, un sourire d'autosatisfaction aux lèvres, lorsque Kyle revint et lui jeta un regard exaspéré.

— Quelque chose vous amuse, dans ce coin ? demanda-t-il en fermant la porte du pied, et en déposant deux tasses fumantes sur le bureau. Ne me dites pas que vous n'avez pas commencé à regarder les chiffres ? Je ne veux pas d'un poids mort, Jade. J'ai besoin de quelqu'un de sérieux. Et je pensais, à votre apparence, que vous aviez décidé de l'être.

— Je suis désolée. Je suis sérieuse, ne vous en faites pas. Ça ne se reproduira pas.

— Je l'espère. J'ai pris un risque en vous engageant. Ne me faites pas passer pour un imbécile.

— Je vous promets que je serai une assistante modèle, à partir de maintenant. Je m'y mets tout de suite.

Et elle s'installa devant le rapport financier, sans même toucher à sa tasse de café.

— N'en faites pas trop non plus, commenta Kyle avec ironie.

Le téléphone sonna à cet instant, et il décrocha. Jade ne put s'empêcher d'écouter d'une oreille sa conversation. Après tout, il était tout près d'elle, et le rapport n'était pas passionnant à ce point...

— Kyle Armstrong...

Il y eut un silence tendu, puis il soupira.

— Ecoute, je t'ai déjà dit de ne pas m'appeler ici. Ça ne pouvait pas attendre ce soir ?

Jade fit la grimace. Il n'était pas difficile de comprendre qu'il parlait à une petite amie. Mais une petite amie qu'il s'était faite depuis son arrivée, ou qu'il avait amenée avec lui de Tasmanie ? Bien qu'elle y fût préparée, l'idée qu'il n'était pas célibataire provoqua en elle un violent pincement de jalousie.

« Je m'en fiche ! » songea-t-elle aussitôt. « C'est mon patron, un point, c'est tout ! Et à la façon dont il parle à cette pauvre fille, c'est sans doute un macho lui aussi, en fin de compte. Jamais je ne coucherai avec un macho ! »

— Je serai à la maison vers 9 heures, reprit-il d'un ton froid. C'est ça. Et une nouvelle fois, ne m'appelle plus ici !

Il marmonna quelque chose en raccrochant. Jade redressa la tête, et leurs regards se croisèrent.

— Un problème avec une femme ? demanda-t-elle entre ses dents.

— Quelque chose comme ça.

Jade crispa plus farouchement encore les mâchoires et décida qu'il fallait le détester de nouveau.

8.

Jade étudiait toujours le rapport financier lorsqu'une autre tasse de café apparut sur son bureau. Surprise, elle redressa la tête et vit que Kyle se tenait près d'elle, une tasse fumante à la main.

— Il est 11 heures passées, annonça-t-il.

— Déjà ?

Elle était stupéfaite. Les chiffres, après tout, avaient réussi à retenir son attention. Et ce qu'elle avait lu l'avait effrayée.

— Oui, déjà, répondit-il ironiquement. Buvez. Je suis sûr que vous avez besoin d'un remontant après ce que vous venez de lire.

— Je ne m'étais pas rendu compte de la gravité de la situation, confessa-t-elle avant de porter la tasse à ses lèvres.

— La moitié de notre problème vient de la crise économique. La seconde, c'est Campbell Jewels. Ils tiennent le marché de l'opale, encore que je ne sache pas comment. Je sais qu'ils vendent en général moins cher que Whitmore, mais pas dans tous les réseaux de distribution. Pourtant, ils vendent beaucoup plus que nous. C'est le mystère que je m'efforce de percer à jour en ce moment. En attendant, ça m'aiderait peut-être si vous me disiez ce qui s'est passé entre Celeste Campbell et votre père pour justifier une telle vendetta.

— J'aimerais pouvoir vous aider. Ça remonte à longtemps.

— Dites-moi déjà ce que vous savez.

En quelques mots, Jade lui fit part de l'histoire de sa famille. Kyle hocha la tête, la mine pensive.

— Hmm… Si les choses se sont calmées entre les Campbell et les Whitmore après le mariage de vos parents, ça veut dire qu'il a dû se passer quelque chose d'autre après cela. Pensez-vous qu'il ait pu y avoir quelque chose entre Celeste et votre père ? Une liaison qui aurait tourné au vinaigre ?

— Je dois avouer que ça m'a traversé l'esprit. Mes parents ne formaient pas un couple très heureux.

— Votre père ne me semble pas du genre à tromper sa femme.

— Je suis sûre qu'il ne l'aurait jamais fait en temps normal, dit Jade, comprenant la chose comme elle l'énonçait pour la première fois. Mais il était… difficile d'aimer ma mère.

Une vague de compréhension et de compassion à l'égard de son père l'envahit brusquement. Comment avait-elle pu le juger ? Tout le monde avait droit à l'amour, et elle ne pouvait lui en vouloir sous prétexte qu'il était allé le chercher dans les mauvais bras.

Des larmes de remords lui montèrent aux yeux qu'elle dissimula en piquant du nez dans sa tasse. Un épais silence tomba sur la pièce, comme si Kyle voulait lui donner le temps de se ressaisir. Lorsqu'elle redressa la tête, il la dévisageait avec attention, la mine plus indéchiffrable que jamais. Elle regrettait déjà de s'être confiée à lui. Le rôle de Kyle était de redresser Whitmore Opals, pas de fouiller dans la vie privée de son patron.

— A bien y songer, enchaîna-t-elle d'un ton ferme, je ne suis pas sûre que ce soit l'explication du problème. Mon père ne ferait jamais une chose pareille. C'est un homme très droit. Qui sait ? Peut-être que Celeste, en revanche, lui a fait des avances, et qu'il les a refusées ? Elle est connue pour être une croqueuse d'hommes. Alors faites attention à vous, Kyle. A présent que vous occupez ce poste, elle pourrait peut-être s'intéresser à vous…

Une lueur d'amusement apparut dans les yeux de l'intéressé.

— C'est très aimable à vous de me prévenir. Mais laissez-moi
vous dire que je n'aime pas beaucoup être la cible des ardeurs
d'une femme. C'est moi qui fais le premier pas, si besoin est.
Pas l'inverse.

Sur ce, il s'éloigna vers la porte. Il s'immobilisa sur le seuil,
le temps de lui jeter un regard et d'ajouter :

— Veuillez m'excuser un instant. J'ai plusieurs choses dont
je dois discuter avec Nathan. Faites une pause en attendant mon
retour, puis nous nous pencherons ensemble sur le problème pour
essayer de trouver des solutions.

Jade laissa échapper un profond soupir lorsque la porte se
fut enfin refermée derrière lui. Cet homme, décidément, avait le
don de l'irriter et de la fasciner tout à la fois. Et cette remarque
sur le fait qu'il aimait faire le premier pas… était-ce sa façon
de fustiger son attitude de l'autre soir ?

Seigneur… Aucun homme ne l'avait jamais affectée à ce point.
C'était stupéfiant. Et parfaitement ridicule. Car Kyle avait déjà
une petite amie, qui l'aimait tellement qu'elle avait pris le risque
d'outrepasser ses ordres et de l'appeler à son travail.

Jade songea quelques instants à ce coup de téléphone. Kyle
s'était montré dur et arrogant avec son interlocutrice. Assez
étrangement, elle n'avait pas imaginé qu'il pouvait traiter une
femme de cette façon. Elle se l'était au contraire représenté
charmeur et suave, toujours galant.

Oui, il la troublait dangereusement. Pourquoi alors avait-elle
l'intuition que quelque chose n'allait pas ?

Elle se souvint brusquement d'une chose que lui avait dite
Nathan sur la nécessité de surveiller Kyle. Croyait-il ce dernier
susceptible d'être une sorte d'espion industriel ? Kyle était-il,
d'une façon ou d'une autre, lié à Celeste Campbell ?

Non, conclut Jade, c'était grotesque. Si cela avait été le cas, il n'aurait pas posé de questions à propos de Celeste. Elle était en train de devenir paranoïaque.

Elle se rappela soudain, non sans plaisir, la promesse qu'elle avait faite à Gemma d'appeler Lenore. Tout ce qui était susceptible de la distraire de cet homme infernal était bienvenu ! Elle décrocha donc le téléphone et composa le numéro de son ex-belle-sœur. Un message sur son répondeur l'informa que cette dernière passerait la journée à répéter au théâtre. Jade raccrocha, songeant qu'elle pourrait s'y rendre pendant sa pause-déjeuner.

La porte s'ouvrit pour laisser passage à Kyle. Il semblait pensif, presque inquiet.

— J'espère que je ne me suis pas attaqué à plus gros que moi, remarqua-t-il dans un soupir.

Jade fut secrètement étonnée de voir un tel homme exprimer un doute, en même temps que soulagée. Voilà qui prouvait au moins qu'il était humain. De plus, cela infirmait la théorie de l'espion venu infiltrer les rangs de Whitmore.

Elle se sentit de nouveau fondre pour lui. Ce jeu de montagnes russes sentimental ne cesserait-il donc jamais ? Quoi qu'il en fût, elle préférait l'aimer que le détester. Même si les deux émotions semblaient faire battre son cœur de la même façon.

— J'ai toute confiance en vous, Kyle, déclara-t-elle. Après tout, vous ne pouvez pas faire pire que mon père. Et puis, je suis là pour vous aider ! Ce n'est peut-être pas grand-chose, mais je vais faire de mon mieux. Car, rappelez-vous, j'ai de l'audace à revendre !

Kyle la dévisagea avec surprise avant d'éclater de rire.

— J'ai dit quelque chose d'amusant ? demanda-t-elle, vaguement vexée.

Il lui adressa un magnifique sourire qui révéla des dents d'une blancheur impeccable, puis reprit lentement son sérieux.

— Vous êtes la femme la plus divertissante que j'aie jamais rencontrée.

— C'est pour ça que vous m'avez engagée ? Pour jouer les bouffons ?

— Vous ne pourriez pas être plus loin de la vérité. J'avais des raisons très sérieuses de vous engager. Alors mettons-nous au travail, mademoiselle Whitmore. Nous avons une société à sauver.

A 2 heures, la tête de Jade tournait. Quel travailleur ! Quel esclavagiste ! Elle avait entendu parler de viviers d'idées. Mais il semblait qu'elle était en train de s'y noyer !

— Kyle, dit-elle lorsque son estomac se mit à grogner. J'ai vraiment très faim.

Il jeta un coup d'œil à sa montre qui, remarqua-t-elle, était d'un modèle extrêmement onéreux. Tout comme d'ailleurs son costume, sa cravate, ses chaussures. Il devait consacrer une bonne partie de son salaire à soigner son apparence…

— Je ne m'étais pas rendu compte qu'il était si tard, marmonna-t-il. Vous auriez dû me le signaler.

— Et interrompre ce flot d'idées géniales ?

— Je dois avouer que nous nous sommes bien débrouillés, dit-il avec un sourire. Vous avez parfaitement raison sur la nécessité de lancer une ligne d'opales plus accessible. Et j'adore votre idée d'un bal annuel, à l'issue duquel nous remettrions une opale à l'une des participantes. Cela nous fera une formidable publicité dans les magazines féminins. Et gratuite, qui plus est !

— Pour ma part, j'adore votre idée d'y adjoindre une enchère à but caritatif. Et celle de sponsoriser une grande course de chevaux. C'est ce dont nous avons désespérément besoin, d'un peu d'excitation. L'opale a une image bien trop ringarde.

— Je suis sûr que Whitmore n'aura jamais plus une image ringarde si vous en prenez les rênes un jour.

— Est-ce un compliment ?

— Je suis sûr que vous le prendrez comme tel.

— Ce qui veut dire ?

— Ce qui veut dire que je n'ai jamais vu quelqu'un d'aussi imperméable que vous à la critique. Vous ne vous souciez jamais de ce que les autres peuvent penser ?

— Oh, je vois, déclara Jade avec un rire amer. Vous avez parlé à Nathan… Vous savez, Kyle, tout ce qu'on dit sur moi n'est pas vrai. Je ne change pas de petit ami toutes les semaines, pour commencer.

— Tous les mois, alors ? ironisa-t-il tandis qu'elle se levait pour récupérer son sac à main.

Furieuse, elle se tourna vers lui et le fusilla du regard. Devrait-elle donc subir ce genre de critique jusqu'à la fin de ses jours ?

— Tous les mois ? répéta-t-elle, faisant mine de réfléchir. Non, certainement pas. Mes liaisons ne durent en général pas si longtemps. Je dois vous avouer, Kyle, que je me lasse très facilement, avec les hommes. Une fois qu'ils ont révélé leur véritable personnalité, comme cela arrive invariablement, je perds tout intérêt pour eux.

— Et quelle est leur véritable personnalité ? demanda calmement Kyle.

— Oh, vous le savez très bien.

— Vous voulez dire que tout ce qui les intéresse, c'est de coucher avec vous ?

— Ne soyez pas ridicule. Cela va sans dire. Non, c'est plutôt leur besoin de tout contrôler qui me rend folle. Sous prétexte qu'ils vous ont fait l'amour, ils s'imaginent qu'ils peuvent diriger votre vie.

— C'est bien naïf de leur part. J'imagine mal quiconque vous contrôler. Et je suppose que seul un homme doté d'incroyables qualités serait à même de vous séduire.

Il lui décocha un sourire lent et énigmatique, avant de reprendre :

— A présent, vous feriez bien de vous dépêcher si vous voulez aller déjeuner. Je veux que vous soyez de retour à 3 heures.

Jade le fixa pendant de longues secondes, dans un silence électrique, puis tourna les talons et sortit. Elle s'en voulait d'être toujours aussi intriguée par Kyle. A ce rythme-là, elle allait finir par en tomber amoureuse. Et c'était bien la pire chose qui pouvait lui arriver !

Autrefois, elle avait adoré jouer à tomber amoureuse. Mais son expérience récente avec Nathan lui avait appris que l'amour était chose sérieuse, et qu'elle pouvait s'y brûler les ailes. Sa carrière, avait-elle décidé, passerait désormais avant ses émotions. D'où son désir de se faire une place au sein de Whitmore Opals, pour prouver à son père qu'elle valait autant que Nathan.

Elle n'y parviendrait cependant pas si le moindre sourire de Kyle suffisait à faire bondir son cœur dans sa poitrine et danser des étoiles devant ses yeux. Elle en venait presque à comprendre la misogynie de Byron ! Ce n'était pas ainsi qu'elle serait utile à l'entreprise familiale !

Elle allait donc se ressaisir. Désormais, elle serait aussi froide et assurée que Mister Freeze lui-même. Parole de Jade Whitmore !

Le temps paraissait avoir changé, et était désormais frais et venteux. A moins que la disposition des bâtiments et des étroites allées ne favorisât la circulation des courants d'air. Jade pressa en tout cas l'allure, frissonnante, tandis qu'elle s'éloignait du bureau. Après quelques instants, elle fut heureuse d'émerger en plein soleil, sur une esplanade déserte.

Le restaurant où elle acheta un sandwich, une pomme et un soda sans sucre était tout aussi vide. Mais la chose n'avait rien d'étonnant, étant donné l'heure tardive. Sac de papier en main, elle se dirigea vers le port et, se glissant dans la foule des employés qui couraient pour attraper un ferry, se trouva un banc dans l'un des parcs qui bordaient la mer. Elle déjeuna là, s'efforçant de se concentrer sur ce qu'elle avalait et, surtout, de ne pas penser à Kyle Armstrong. Il était bien plus intéressant d'observer le ballet des bateaux.

Enfin rassasiée, elle se leva et se dirigea vers Bennelong Point et vers l'Opéra. Synonyme de Sydney, le bâtiment était d'une telle beauté qu'il était impossible de ne pas l'admirer. Mais Jade ne se sentait pas le courage de monter la myriade de marches qui menaient à l'entrée principale. Après avoir expliqué à un employé le but de sa visite, elle fut donc autorisée à pénétrer par une petite porte à l'arrière du théâtre. Lenore était sur scène, en pleine répétition, et Jade s'installa dans le noir pour y assister. La pièce était une comédie piquante qui la changea agréablement, pour ce qu'elle en vit du moins, des pièces de Nathan. Ce dernier avait en effet une fâcheuse tendance à mettre en scène des drames familiaux qui lui rappelaient douloureusement la réalité…

Lorsque la petite troupe qui se trouvait sur scène s'interrompit enfin, Lenore se dirigea vers les marches conduisant à la salle au lieu de disparaître en coulisses. Jade en fut surprise, car elle avait supposé que les lumières des projecteurs empêcheraient Lenore de la voir.

Elle s'apprêtait à se lever pour aller à sa rencontre lorsqu'un homme assis quelques rangées devant elle se leva et s'approcha de Lenore. Intriguée, Jade se figea, puis ouvrit des yeux ronds quand l'homme émergea dans la lumière. Zachary Marsden ? Mais que faisait-il ici ?

Sa surprise s'accrut lorsqu'elle les vit se prendre les mains avec une chaleur trahissant davantage qu'une simple amitié. Puis Zachary entraîna sa compagne vers la sortie du théâtre.

— Qu'y a-t-il, mon amour ? s'enquit Lenore comme ils s'approchaient de la rangée où Jade se tenait tétanisée.

Jade savait qu'il était trop tard pour s'éclipser. Et avec ses cheveux blond clair, elle ne pouvait absolument pas passer inaperçue. De fait, une seconde plus tard à peine, Lenore se figea, une expression de stupeur et de culpabilité sur son beau visage. Jade elle-même était pétrifiée. Zachary Marsden, après tout, était marié et père de deux enfants. Et elle l'avait toujours cru heureux en ménage. Elle sentit son cœur se durcir à l'idée que Lenore, qu'elle avait toujours admirée et appréciée, avait brisé ce couple. Etait-ce la véritable raison du divorce de Nathan ?

Elle vit Lenore glisser quelque chose à l'oreille de Zachary, qui, malgré sa mine ennuyée, hocha la tête et s'éloigna. Jade n'avait toujours pas bougé lorsque Lenore vint se glisser dans le siège voisin du sien, avec un soupir.

— Avant que tu ne dises quoi que ce soit, dit-elle aussitôt, ce n'est pas aussi terrible que ça en a l'air. Oui, j'ai une liaison avec Zachary mais, non, ça ne remonte pas à l'époque de mon mariage avec Nathan. Zachary et sa femme ont décidé de divorcer mais ils veulent attendre que leur dernier fils, Clark, ait passé ses examens de fin d'année. Tu dois aussi savoir que c'est Felicity qui a demandé le divorce. Elle est tombée amoureuse d'un autre homme.

— Felicity ? Impossible. Elle adore Zachary.

Mais Lenore secoua la tête.

— Non, c'est juste sa façon d'être. Mais elle n'aime plus Zachary depuis longtemps, alors que j'en suis amoureuse depuis de longues années. Nathan et moi n'avons jamais été amoureux, Jade. Sans Kirsty, nous ne nous serions même pas mariés. Dieu sait pourtant que j'ai essayé de faire marcher notre couple. Pendant douze longues années. Mais Nathan… Tu le connais. Il est incapable de s'impliquer du point de vue sentimental. Il s'engage juste sur le plan physique.

— Oui, je sais…

Lenore fronça les sourcils.

— Il n'a pas tenté sa chance avec toi, tout de même ?

— Non, concéda Jade en riant. C'est plutôt moi qui ai tenté ma chance avec lui. Mais il s'est soudain arrêté en réalisant ce qu'il était en train de faire et m'a sermonnée. Parfois, je ne sais pas comment le prendre. Est-il un saint, ou un démon ?

— Peut-être aucun des deux. Peut-être est-il juste humain, après tout…

Les deux femmes restèrent un instant silencieuses, puis Jade reprit :

— Tu as rencontré Gemma ?

— Oui. Elle est ravissante, n'est-ce pas ? J'espère que tu ne vas pas m'annoncer que Nathan l'a déjà séduite ? Encore que cela ne me surprendrait guère…

— C'est si évident que ça ?

— Peut-être pas pour tout le monde. Mais pour moi qui le connais, oui.

— Pourtant, il jure qu'il n'a pas couché avec elle. Ce matin, pendant qu'il me conduisait au travail, je l'ai cuisiné à ce sujet. Et le plus étrange, c'est que je l'ai cru.

— Alors, c'est juste une question de temps.

— Je suis parfaitement d'accord. Et c'est pour ça que je suis là, Lenore. J'ai promis à Gemma de l'emmener chez Chatswood demain soir pour faire un peu de shopping. Je pensais que tu pourrais peut-être nous accompagner. Tu pourrais l'aider dans ses choix, et lâcher quelques allusions bien senties sur le fait que Nathan n'est pas un homme pour elle et… Qu'est-ce qui te fait rire ?

— Rien. Je viens juste de repenser à quelque chose. Un petit secret entre ton père et moi.

— Je déteste les secrets, grommela Jade.

— Je t'assure que ça n'a rien à voir avec toi. Vraiment.

— Si tu le dis… Alors, tu viendras ?

— Avec plaisir.

— Super. Gemma nous devra une fière chandelle. Bon, je dois y aller. Il vaut mieux pour mon matricule que je ne sois pas en retard au travail. Mon patron oscille entre le gourou new-age et tolérant et l'esclavagiste, avec une légère préférence pour ce dernier rôle.

— Hmm… Il a l'air charmant.

— Le problème, c'est qu'il l'est…

— Séduisant ? s'enquit Lenore avec un sourire.

— A tomber. Il en remontrerait à Tom Cruise.

— Ne me dis pas que tu vas tomber amoureuse de lui ?

— Pas si je peux l'éviter, crois-moi ! Je ne veux surtout pas gâcher cette chance. Tu sais que j'ai toujours voulu travailler chez Whitmore.

— Je le sais. Mais tu as aussi l'habitude de tomber amoureuse des mauvaises personnes.

Jade ne put s'empêcher de rire.

— Tu peux parler !

Lenore s'empourpra légèrement, et demanda d'un ton coupable :

— Tu n'en parleras à personne, n'est-ce pas ?

— Ne t'en fais pas.

— Merci. Je ferais bien d'y aller, moi aussi, pour le dire à Zachary. Il doit être mort d'inquiétude. Où et quand nous retrouvons-nous, demain ?

Elles se fixèrent un rendez-vous. Puis, juste avant de se séparer, Jade prit les mains de Lenore dans les siennes.

— J'espère que tu seras heureuse avec Zachary. De tout mon cœur.

9.

A 13 h 30 très précises, le vendredi après-midi, Jade engageait
sa Ford Capri blanche sur la rampe descendant au parking de
Whitmore's. Kyle s'était-il souvenu de sa promesse de lui céder
sa place, à condition qu'elle le reconduisît chez lui ? Elle ne
lui avait pas parlé depuis le mercredi précédent. De fait, elle
l'avait à peine entrevu à son retour de déjeuner, car il l'avait
aussitôt envoyée inspecter deux de leurs magasins de Sydney.
Elle en était revenue l'esprit bouillonnant d'idées, et avait
croisé Nathan. Ce dernier lui avait proposé de la reconduire à
Belleview, ce qu'elle avait accepté. Elle se sentait épuisée, et
préférait mettre ses idées au clair avant de les exposer à Kyle.
De plus, elle n'était pas fâchée de pouvoir prendre un peu de
distance avec lui. L'appétit sexuel insensé qu'il éveillait en elle,
en effet, n'était pas propice à la concentration. Pour réussir au
sein de Whitmore Opals, Jade savait qu'il lui faudrait apprendre
à contrôler ses émotions.

Et les deux jours qu'elle avait passés loin de Kyle avaient été
profitables. Elle se sentait de nouveau maîtresse d'elle-même,
prête à en découdre. Elle avait réorganisé ses idées et était impatiente d'impressionner son patron avec ses suggestions.

En avisant la place de parking vide, cependant, ses bonnes
résolutions vacillèrent, et elle se surprit à songer au moment

103

où il lui faudrait raccompagner Kyle. L'inviterait-il chez lui ? Elle l'espérait. Tout comme elle espérait que…

Que quoi, au juste ? Qu'il tenterait sa chance avec elle ? Quelle idiote elle faisait ! Kyle, elle le savait déjà, ne s'intéressait pas à elle. Et il avait une petite amie ! Pourquoi se laissait-elle aller à ce genre d'élucubration ? Qu'était devenue la nouvelle Jade Whitmore, froide et professionnelle ?

Elle vibrait de colère contre elle-même lorsqu'elle pénétra dans l'ascenseur et appuya sur le bouton du septième étage. Malgré elle, elle ne pouvait s'empêcher de penser à la mystérieuse fiancée de Kyle. Il n'avait certainement pas pu se trouver quelqu'un en si peu de temps, à moins qu'il ne l'eût amenée de Tasmanie. Mais une fiancée aurait-elle toléré la façon dont il lui avait parlé au téléphone ?

Sourcils froncés, Jade sortit de l'ascenseur et poussa la porte vitrée du bureau. Nathan se tenait dans l'entrée, en pleine conversation avec Moira. Lorsqu'il la vit entrer, il plissa légèrement les yeux et déclara froidement :

— J'aimerais te parler, Jade. Peux-tu venir dans mon bureau ?

— Mais… mais…

— Je suis sûr que Kyle ne m'en voudra pas, coupa Nathan d'un ton narquois. Moira, pouvez-vous le prévenir que je kidnappe son assistante pour quelques minutes ?

Une fois dans son bureau, Nathan lui fit signe de s'asseoir, mais Jade refusa d'un geste et s'approcha d'une fenêtre pour jeter un coup d'œil dehors.

— Qu'est-ce que tu veux ? demanda-t-elle avec impatience.

— Gemma et toi êtes rentrées plutôt tard, hier soir, remarqua son frère adoptif, joignant ses doigts longs et fins sous son menton. Les magasins ferment à 9 heures, mais il était bien 11 h 30 quand vous êtes revenues.

— Et alors ? Nous sommes allées boire un verre. C'est interdit ?

— Gemma n'est pas habituée à boire de l'alcool, répliqua Nathan. Ni à fréquenter le genre d'endroits que tu aimes. Ce n'est pas la peine d'essayer de changer son caractère en plus de son apparence.

Jade lui jeta un regard pensif, et se détacha enfin de la fenêtre.

— Tu affirmes que tu n'as pas de vues sur Gemma. Et je dois avouer qu'elle n'a rien trahi de son côté non plus… Alors pourquoi ai-je l'impression qu'il y a quelque chose entre vous ?

Nathan se fendit d'un sourire dont l'ironie n'échappa pas à Jade, et la mit vaguement mal à l'aise.

— Qu'est-ce que tu penses du nouveau look de Gemma ? demanda-t-elle brusquement.

— Je ne l'ai pas vue depuis qu'elle est rentrée.

— Vraiment ? Tu vas être surpris, alors.

— En bien ou en mal ?

— Ça dépend.

— De quoi ?

— Du rôle dans laquelle tu la vois. Elle est très belle, et paraît bien plus mûre.

— Je vois. Et quelle est la part de Lenore dans cette métamorphose ? J'espère que tu ne l'as pas laissée transformer Gemma en réplique de sa personne ? Je t'avais demandé d'y prendre garde.

— Qu'est-ce que ça peut te faire ?

— Je me suis promis de veiller sur Gemma. Je ne veux pas la voir corrompue par cette ville et ses habitants.

Jade se mit à rire.

— Dans ce cas, tu ferais bien de faire attention à ta façon d'agir. Le danger ne viendra ni de moi ni de ton ex-femme. Lenore adore Gemma, tout comme moi, et s'inquiète également autant que moi de l'influence que tu peux avoir sur une jeune fille comme elle. Tu as trente-cinq ans, tu es divorcé et cynique. Gemma en a vingt, et croit probablement encore en l'amour et au mariage. Tu peux sans doute trouver un meilleur exutoire à ta frustration sexuelle.

Nathan la dévisagea pendant un instant puis fit la grimace. La chose était étrange, et trahissait un tourment intérieur qui prit Jade de court. Jamais elle n'avait vu Nathan exprimer ce genre de sentiment.

— J'aimerais que ce soit le cas, marmonna-t-il.

Elle le fixa, horrifiée.

— Nathan… Tu… tu ne l'as pas fait, n'est-ce pas ? Mon Dieu, tu m'as menti, l'autre jour ?

Le regard de son compagnon s'obscurcit, et il répondit sèchement :

— Je ne t'ai pas menti. Et Gemma est bien plus en sécurité avec moi qu'avec n'importe qui d'autre.

— Est-ce que… est-ce qu'elle est amoureuse de toi ?

— Elle le croit.

Jade ne put retenir un petit cri de surprise. Elle ne s'était pas attendue à un tel aveu.

— Et elle croit que tu es également amoureux d'elle ? Non, ne réponds pas, poursuivit-elle avec un violent frisson. Je connais déjà la réponse. Oh, Nathan, même si tu n'as pas couché avec elle, tu as profité d'elle, d'une certaine façon. Comment as-tu pu faire une chose pareille ?

Il se crispa visiblement, et son visage se ferma davantage.

— Je n'ai pas besoin de tes sermons sur ma vie sexuelle, ni même amoureuse. C'est toi qui as toujours qualifié d'amour la moindre agitation de tes hormones. Tu as même prétendu être amoureuse de moi, tu te rappelles ? Dois-je en déduire que tu as changé de caractère en même temps que tu as changé d'apparence ? Pauvre M. Armstrong… Et moi qui croyais que tu avais juste envie de coucher avec lui. Si l'amour s'est enfin emparé de ton cœur, je le plains ! Tu vas le dévorer tout cru !

A son grand dam, Jade se sentit rougir jusqu'aux oreilles. Son cœur se mit à battre, ses mains se firent moites.

— Je ne suis pas amoureuse de Kyle Armstrong, protesta-t-elle farouchement. Je le connais à peine.

— Parce que tu crois qu'il faut connaître une personne pour en tomber amoureuse ?

— Apparemment, si Gemma est amoureuse de toi ! rétorqua Jade du tac au tac.

Elle regretta aussitôt ce coup bas, mais Nathan l'avait bien mérité. Redressant le menton, elle enchaîna aussitôt :

— Je n'ai aucune intention de rester là et de continuer à me faire insulter. J'ai du travail qui m'attend.

Ouvrant la porte d'un geste brusque, elle se tourna vers lui et déclara avec colère :

— Et avant que tu fasses le moindre commentaire, sache que ma relation avec notre nouveau directeur du marketing est purement professionnelle. Je me moquais de toi, l'autre jour, en prétendant qu'il me plaisait. Tu crois vraiment qu'un type comme ça est mon genre ? J'aime les hommes qui ont du sang dans les veines, pas de la glace !

Et, la tête haute, elle quitta le bureau. Elle eut à peine le temps de claquer la porte derrière elle qu'elle heurtait Kyle Armstrong de plein fouet. Il la prit par les épaules pour l'empêcher de perdre l'équilibre et Jade rougit violemment. Il était évident qu'il avait entendu ce qu'elle venait de dire.

Jetant un regard en arrière, Jade constata que Moira n'était pas à son bureau. Tant mieux. Au moins n'y avait-il aucun autre spectateur pour assister à cette terrible humiliation.

— Je... je ne pensais rien de ce que j'ai dit, bien sûr, bredouilla-t-elle. Nathan me taquinait sur vous et... et il fallait bien que je réponde.

Mais pourquoi ne la lâchait-il pas ? Il était si proche d'elle que Jade sentit ses jambes flageoler.

— Qu'est-ce que vous ne pensiez pas, dans tout ce que vous avez dit ?

— P-Pardon ?

Il la relâcha enfin et Jade faillit soupirer de soulagement. Elle fit un pas en arrière, tandis que le regard de Kyle glissait lentement sur le tailleur rouge qu'elle portait aujourd'hui. La jupe était d'une longueur respectable et la veste stricte mais elle avait l'impression, sous cet examen, de porter une tenue incroyablement érotique.

— Aucune importance, déclara-t-il enfin. Vous êtes prête à vous mettre au travail ?

— Oui. Oui, bien sûr.

— Parfait. Parce que vous n'êtes pas ici pour vous amuser. J'étais avec votre père au téléphone, tout à l'heure, et je vous assure qu'il ne s'attend à aucun miracle de votre part. A franchement parler, personne ne semble s'attendre à des miracles de votre part.

Jade baissa les yeux. Bien que consciente de son image, il lui était impossible de ne pas en souffrir.

— Mais moi, enchaîna-t-il, j'en attends de vous.

— V-Vraiment ?

— Vraiment, oui. Je veux de l'implication. De l'imagination. De l'inspiration. Et plus que tout, de la loyauté. Je ne veux plus vous entendre discuter de vos sentiments pour moi, personnels ou autres, avec quiconque dans cette entreprise, votre frère inclus. Parce qu'ici vous n'êtes plus la fille de Byron, mais mon assistante ! A présent, au travail !

Et il la poussa en direction du bureau, non sans lui avoir décoché une claque sur les fesses. Jade, l'espace d'un instant, envisagea de l'étrangler. Mais le plaisir de tuer Kyle Armstrong ne valait tout de même pas vingt ans de prison, aussi gagna-t-elle le bureau en silence. Elle se vengerait plus tard.

A 6 heures, il ne restait plus que Kyle et elle dans les bureaux. A 7 heures, ils commandèrent une pizza. A 8 heures, ils avaient presque fini d'élaborer la nouvelle stratégie marketing de l'entreprise. A 9 heures, ils mettaient le point final au projet.

Ils avaient travaillé durant de longues heures mais, étrangement, Jade ne se sentait pas fatiguée. Elle était au contraire excitée de ce qu'ils avaient fait ensemble, et ravie de constater que son compagnon paraissait apprécier sincèrement ses idées. Sa confiance dans ses capacités, quelque peu malmenée, venait de s'envoler vers de nouveaux sommets.

— Bon, je crois que ça suffira pour aujourd'hui, déclara Kyle. Mercredi prochain, vous pourrez commencer à vous occuper d'organiser le bal. Je me serai déjà chargé de la course de chevaux. J'ai des contacts au Jockey Club de Sydney. Ma principale préoccupation, à présent, est de lancer cette ligne d'opales à bas prix. Oh, et je dois demander à Byron s'il a une opale susceptible d'être l'objet d'une enchère.

— L'Opale noire, peut-être ?

— L'Opale noire ?

— Oui. C'est une grosse opale, encore dans sa gangue, qui nous a été volée il y a bien des années et qui vient d'être retrouvée.

— Comment est-ce arrivé ?

— C'est une histoire à dormir debout. Un vieux mineur alcoolique de Lightning Ridge s'est tué accidentellement. Sa fille a trouvé la pierre dans ses affaires et l'a apportée à Sydney pour la faire expertiser. C'est là qu'elle a découvert qu'elle était volée. Ce serait également cette même pierre qui serait à l'origine de la première querelle entre les Whitmore et les Campbell.

— Hmm, dommage pour cette jeune fille. La police pense-t-elle que son père est le voleur ?

— Je l'ignore, mais j'en doute. L'opale a disparu le jour du mariage de mes parents, il y a vingt-trois ans. La cérémonie avait lieu à Belleview, et la pierre était dans le coffre de la bibliothèque.

— C'est une histoire incroyable, en effet. C'est une belle pierre ?

— Je ne l'ai jamais vue, mais on le dit. Elle est censée valoir plus d'un million.

Kyle émit un sifflement admiratif.

— Eh bien… Voilà qui vaudrait à Whitmore une belle publicité gratuite…

Néanmoins Jade se demandait à présent si elle n'avait pas parlé trop rapidement.

— C'est-à-dire que… je ne sais pas si mon père en serait ravi. Même à nous, il n'aime pas parler de cette affaire. Et il se trouve que la fille du mineur en question est devenue une amie de la famille. Nous ne voudrions pas la mettre dans l'embarras en rendant toute cette affaire publique. Je crois qu'elle a eu son compte de problèmes.

« Sans parler de ceux à venir avec Nathan », compléta-t-elle pour elle-même.

— Vous avez l'air de l'estimer.

— Oui, Gemma est une fille très bien. Très douce. L'opposée de moi, en somme.

— Vous ne vous trouvez pas douce ?

— Qu'en pensez-vous ? riposta-t-elle.

Kyle plongea ses yeux dans les siens, visiblement amusé.

— Disons que je ne suis pas grand amateur de douceur. Je préfère ce qui est… épicé.

Jade se figea, retenant sa respiration. Y avait-il un sous-entendu dans cette remarque ou n'était-ce qu'un effet de son imagination ? Et quelle était cette lueur dans le regard de son compagnon ?

— Bien, déclara-t-il brusquement, rompant la magie du moment. Je crois qu'il est grand temps que vous me rameniez chez moi.

Jade le suivit des yeux comme il prenait sa veste sur le dossier de sa chaise pour l'enfiler. Des muscles impressionnants semblaient jouer sous sa chemise au moindre de ses mouvements, et elle y était d'autant plus sensible qu'elle n'avait plus sa colère pour se protéger et se blinder contre lui. Elle était retombée sous le charme, comme la première fois où elle l'avait vu.

La gorge sèche, elle le regarda ajuster ses boutons de manchettes, resserrer le nœud de sa cravate bleu pâle et ranger rapidement son bureau. Puis il fit un pas vers la porte, avant de se figer en constatant qu'elle n'avait pas bougé.

— Qu'est-ce qui vous prend ? Pourquoi restez-vous assise ? Vous n'avez pas oublié de venir en voiture, n'est-ce pas ?

— Non, bien sûr, répondit-elle, déroutée.

Il semblait à présent qu'elle se fût trompée sur le désir qu'elle avait cru lire dans ses yeux…

— Quel est le problème, dans ce cas ? Je pensais que vous seriez ravie d'être débarrassée de moi, de manière à pouvoir sortir ce soir. C'est bien ce que font les jeunes un vendredi, non ?

Son ton condescendant ainsi que son évidente indifférence vis-à-vis de son programme de la soirée tirèrent Jade de l'abattement qui la menaçait. Elle se leva brusquement et, tout en rangeant son propre bureau, répliqua :

— A vous entendre, on pourrait croire que vous avez soixante ans au lieu de vingt-huit !

— Ah, ah ! On dirait que quelqu'un a jeté un œil sur mon CV.

— Et alors ? J'étais curieuse. Qu'est-ce qu'il y a de mal à cela ?

— Absolument aucun. Ne soyez pas à ce point sur la défensive. Je suis même plutôt flatté.

— Il n'y a pas de quoi.

Cela n'eut d'autre effet que d'accentuer le sourire de Kyle.

— D'accord, message reçu. Pouvons-nous rentrer, à présent ?

— Nous ne rentrons pas. Vous rentrez.

— C'est-à-dire ?

— C'est-à-dire que j'ai bien l'intention de sortir. J'ai grandement besoin de me détendre après cette semaine.

— Vous ne devriez pas boire et conduire.

— Qui a parlé de boire ? Je n'ai pas besoin de boire pour me détendre. Vous voulez savoir ce que je préfère pour ça ? demanda-t-elle d'un ton insolent.

Décidément, Kyle semblait éveiller ce qu'elle avait de pire en elle. Il se rembrunit, et répondit froidement :

— Non merci. Moi aussi j'ai eu une semaine difficile, et j'aimerais rentrer. Alors prenez vos clés.

— Dites « s'il vous plaît ».

Il la fixa en silence, visiblement stupéfait par son audace. Elle se contenta de redresser le menton et lui sourit avec toute l'irrévérence dont elle était capable.

— Allez-y, reprit-elle, ça ne va pas vous tuer.

Alors il lui sourit à son tour, sans crier gare. Jade, qui s'était attendue à tout sauf à cela, sentit un frisson lui picoter la nuque.

— Très bien, Jade. Vous avez gagné. Allons-y, s'il vous plaît.

10.

— C'est extraordinaire comme cette nouvelle coiffure change Gemma, commenta Ava vers la fin du dîner, ce vendredi soir. Vous êtes absolument splendide, Gemma. Il faudra absolument que Lenore me donne le nom de ce coiffeur…

Gemma s'efforça de sourire en réponse à ce compliment, mais le silence que Nathan observait depuis qu'il l'avait vue ne laissait pas de l'inquiéter. Pour sa part, elle adorait tout ce que Lenore lui avait fait acheter, même si cette sortie en ville lui avait coûté une petite fortune. Mais puisqu'elle allait épouser Nathan, elle voulait qu'il soit fier d'elle, fier de la présenter comme son épouse. Elle ne ressemblait plus à une provinciale sans le sou, mais à une femme sophistiquée.

Lenore lui avait montré comment marier les différentes tenues qu'elle avait rapportées, puis lui avait donné quelques conseils sur la façon de se maquiller. Ce soir, elle avait opté pour un pantalon brun et un pull de cashmere, et avait souligné ses yeux et ses lèvres d'un maquillage subtil, également dans les teintes terre et bronze. Après s'être séché les cheveux en sortant de sa douche, elle avait eu la bonne surprise de voir sa coupe reprendre sa forme initiale. Preuve que le coiffeur méritait au moins la somme indécente qu'elle lui avait laissée !

Pourquoi alors Nathan était-il resté de marbre lorsqu'elle était descendue ? Pourquoi ne manifestait-il pas plus d'enthousiasme pour sa nouvelle apparence ? Tout le monde semblait apprécier sa transformation, Byron compris. Il l'avait même complimentée, lui avait déclaré qu'elle était magnifique. Même lorsqu'elle avait timidement répondu qu'elle n'y était pour rien, et que tout le crédit en revenait à Lenore et à Jade, il n'avait rien voulu entendre.

— C'est parce qu'elles avaient une bonne base de départ ! Vous avez eu raison de suivre les conseils de Lenore. Elle a très bon goût.

Oui, tout le monde avait été incroyablement gentil avec elle. A l'exception de Nathan, qui était d'une humeur taciturne depuis son retour, et paraissait ne pas apprécier le changement. Certes, il n'avait rien dit d'explicite. Mais à plusieurs reprises, elle avait surpris son regard posé sur elle, rien moins que chaleureux.

— Qu'est-ce que tu en penses, Nathan ? enchaîna tout à coup Ava.

— Ce que je pense de quoi ?

— De la nouvelle coupe de cheveux de Gemma. Tu es aveugle, ou c'est simplement que ça ne te plaît pas ?

Gemma attendit sa réponse en retenant son souffle. Lentement, le regard de Nathan dériva vers elle. Il l'examina d'un œil froid, avant de répondre :

— Je suis sûr que c'est très élégant, mais j'ai toujours estimé que Gemma était parfaite. Comment améliorer la perfection ?

Tout le monde fixa Nathan avec stupéfaction, Melanie comprise. Gemma se mit à rougir, soulagée que Kirsty ne fût pas là. Car Dieu seul savait ce qu'elle aurait pu déduire de cette remarque.

Byron paraissait lui aussi étonné, mais un sourire flottait sur ses lèvres. Ava, pour sa part, semblait sidérée.

Ce fut le moment que Nathan choisit pour s'essuyer le coin des lèvres et se lever.

114

— C'était un excellent dîner, Melanie, dit-il d'une voix suave. Comme d'habitude. A présent, si vous voulez bien m'excuser, je dois aller m'occuper d'une affaire pressante.

Et, de sa démarche souple, il quitta la salle. Gemma, malgré elle, se retourna pour le suivre des yeux.

— Eh bien, reprit Ava… Il est d'une humeur pour le moins bizarre, ce soir. D'abord les compliments, puis il disparaît en un clin d'œil…

— Ce n'est pas un homme facile à comprendre, reconnut Byron. Ni enclin à la flatterie, ajouta-t-il avec un regard appuyé pour Gemma.

Ava tourna également les yeux vers elle, l'air pensif. Gemma fit de son mieux pour s'intéresser à sa tasse de café.

— En tout cas, je suis ravie qu'il aime ma cuisine, intervint Melanie. J'ai passé des heures sur le dîner de ce soir. Qu'en pensez-vous ? Mon bœuf Wellington restera-t-il au menu cet hiver ?

— Délicieux ! dit Ava. Je vote pour.

— Moi aussi, ajouta Gemma, ravie de ce changement de sujet.

— Je vois que nous avons plus d'un flatteur dans la maison, conclut Melanie en souriant.

Gemma se sentit prise de compassion pour Melanie qui, même lorsqu'elle souriait, paraissait triste. Quel genre de vie était-ce pour une jeune femme comme elle que de tenir une maison qui n'était pas la sienne, avec pour toute vie sociale une visite hebdomadaire chez son frère ? Ne se remettrait-elle donc jamais de la mort tragique de son mari et de son bébé ? Gemma aurait voulu la voir faire le choix de la vie et de l'amour. Mais cela ne risquait pas d'arriver tant qu'elle se terrerait à Belleview.

Réprimant un soupir, elle se leva et entreprit de débarrasser. Melanie la laissait à présent se charger de cette tâche, sachant qu'elle s'en acquitterait de toute façon. Ava, pour sa part, partit regarder le film du vendredi soir à la télévision, tandis que Byron allait lire dans le salon. Il se déplaçait déjà plus facilement, encore qu'avec l'aide de sa canne. Son humeur s'était de ce fait améliorée ces derniers jours, même si Kirsty menaçait de repartir vivre chez sa mère sous prétexte qu'il l'empêchait de regarder la télévision autant qu'elle le souhaitait.

C'était sans doute l'une des raisons pour lesquelles elle passait la nuit chez une amie. Nathan devait aller chercher les deux filles le lendemain matin pour les emmener à Avoca. Gemma, sachant qu'elle ne pourrait lui résister là-bas, avait décliné son invitation à les accompagner. Etait-ce la raison de sa mauvaise humeur ?

— Au fait, vous avez vu la lettre que j'ai déposée sur votre lit ? demanda Melanie comme elle la rejoignait dans la cuisine.

— Non, j'ai dû la manquer. Je me demande qui peut bien m'écrire.

— Je crois qu'elle vient de cette vieille dame de Lightning Ridge avec laquelle vous êtes amie.

— Ma ? Elle m'a déjà écrit mardi. Qu'est-ce qui peut la pousser à m'envoyer une nouvelle lettre ? Elle déteste écrire.

— Vous n'avez qu'à monter la lire. Je me charge de finir de ranger.

— Merci Melanie. J'y vais tout de suite.

Gemma gagna le premier étage en courant, curieuse et ravie. Elle n'aurait jamais cru que Lightning Ridge lui manquerait et, de fait, elle ne regrettait rien de son ancien mode de vie. Quelle jeune femme saine d'esprit aurait préféré cette bourgade perdue à la vie trépidante de Sydney ? Malgré tout, il lui manquait ce sentiment d'appartenance, ces repères familiers qui lui tenaient lieu de racines. Quelque agréable que fût la vie à Belleview, elle ne faisait pas partie de la famille Whitmore. Sa famille à elle, ou du moins ce qu'elle en connaissait, était enterrée à Lightning Ridge.

Ma lui manquait également. Combien de fois la vieille dame l'avait aidée à fuir les colères de son père ? Combien de fois avait-elle menti pour elle, l'avait-elle protégée ? Ma était de plus, avec son pragmatisme paysan, d'excellent conseil.

Avisant l'enveloppe sur son lit, Gemma l'ouvrit avec excitation et déplia la lettre.

« Chère Gemma,

» Juste quelques lignes pour te prévenir qu'un homme a posé des questions sur ton père et sur toi au village. Il a prétendu faire une enquête de recensement, mais je ne l'ai pas cru un instant. Je suis sûre que c'est un détective privé… Il paraissait surtout s'intéresser à l'époque de votre arrivée dans la région, toutefois je ne lui ai rien dit. Je l'ai envoyé chez M. Gunther, qui était la personne la plus proche de ton père. J'espère que j'ai bien fait.

» Au fait, tu n'as rien dit au sujet de Nathan Whitmore dans ta dernière lettre. Est-ce bon signe ? J'espère que tu n'as pas peur de me choquer. Ta vieille Ma ne s'offusque pas aisément ! Ecris-moi pour tout me raconter. Je suis très fière à l'idée que tu vas travailler chez Whitmore Opals !

Ton amie, Ma. »

Gemma replia la lettre, sourcils froncés.

— Mauvaises nouvelles ?

Surprise, la jeune femme tressaillit et vit que Nathan se tenait sur le seuil, plus séduisant que jamais. La lumière du lustre conférait à ses cheveux un éclat doré. Il avait troqué son costume strict contre un pantalon de toile beige et une chemise de soie vert pâle.

Avant qu'elle pût répondre à sa question, il avait fait un pas en avant et refermé la porte derrière lui. Gemma déglutit, profondément troublée. L'alchimie était si parfaite, entre eux, qu'elle ne pouvait s'empêcher de se sentir troublée lorsqu'elle se trouvait dans la même pièce que lui, même en compagnie d'autres personnes. Se retrouver seul avec lui dans une chambre, par conséquent, la mettait au supplice.

— Ma dit que quelqu'un a posé des questions sur moi à Lightning Ridge, déclara-t-elle en se redressant brusquement.

A son grand soulagement, Nathan s'était arrêté devant le lit, une main reposant sur l'un des globes de cuivre du cadre du lit. Elle prit garde de rester à bonne distance et reprit :

— Ça doit être le détective que tu as engagé ?

— Je suppose. C'est Zachary qui s'est occupé de tout.

— Zachary ?

— L'avocat des Whitmore. Entre autres choses, marmonna Nathan.

— Oh ! Et… sais-tu s'il a découvert une piste ?

Gemma ne voulait pas entretenir de faux espoirs, mais cela lui était difficile.

— Non. Zachary estime que, avec si peu d'indices, l'affaire pourrait durer plusieurs mois.

— Ça va coûter beaucoup d'argent…

Lorsque Nathan contourna le lit et vint lui prendre la main, Gemma crut que son cœur allait s'arrêter de battre. S'il s'avisait seulement de l'embrasser, c'en serait fait de sa résolution de ne pas faire l'amour avec lui avant leur mariage. Nathan avait paru accueillir la chose avec philosophie, mais elle le savait terriblement frustré.

— Je crois qu'il faut que tu saches quelque chose à mon sujet, Gemma. Je suis un homme riche, et cela n'a rien à voir avec Byron. Mes grands-parents maternels ont fait de moi leur héritier. Je n'ai besoin ni de travailler, ni d'écrire des pièces. Si je le voulais, je pourrais passer ma vie à ne rien faire, si ce n'est l'amour avec toi.

Gemma tenta instinctivement de retirer sa main de la sienne, mais l'étreinte de Nathan se resserra. Pour une raison qu'elle

118

ignorait, elle en fut effrayée. Lorsqu'il se pencha vers elle, sa première réaction fut donc de reculer.

— Non, Nathan ! Tu… tu as promis !

— Seulement de ne pas insister pour faire l'amour avant notre mariage, répondit-il avec un sourire en coin. Est-ce que ça veut dire que je ne peux même pas embrasser ma fiancée ? Ce qui me rappelle…

Il la relâcha enfin pour sortir de sa poche une petite boîte de velours bordeaux. Il l'ouvrit, révélant le plus extraordinaire solitaire qu'elle avait jamais vu. Elle le fixa un instant en silence avant de lever vers lui un regard embué.

— Oh ! mon Dieu… Il est magnifique…

— Il est pour une femme magnifique.

D'un doigt tremblant, elle effleura la pierre scintillante. Une boule s'était formée dans sa gorge, entravant ses mots.

— Tu… tu n'avais pas l'air de me trouver magnifique, ce soir, fit-elle valoir d'une voix faible.

Avec un soupir, il lui redressa le menton pour la forcer à le regarder dans les yeux.

— Je me suis conduit en parfait idiot, reconnut-il. Et je tiens à m'en excuser. Bien sûr que tu es magnifique. Et c'est justement le problème. Je voudrais pouvoir t'embrasser, te toucher. Bon sang, Gemma…

Sans crier gare, il se pencha sur elle et plaqua ses lèvres sur les siennes, avec l'énergie désespérée d'un homme assoiffé. Gemma ne put s'empêcher de lui retourner son baiser, le cœur battant à tout rompre. Mais lorsqu'il voulut l'allonger sur le lit, et que sa main commença de descendre vers ses cuisses, elle tenta de le repousser. Dans la panique, la petite boîte contenant son diamant lui échappa et roula à terre.

— Ma bague !

Ils se redressèrent, le souffle court.

— Je vais la retrouver, dit Nathan d'un ton résigné.

Il se mit à genoux et tâtonna un instant sous le lit.

— Tiens, la voilà. Nous ferions bien de vérifier qu'elle te va. Evidemment, tu ne vas pas la porter tout de suite. Mais je tenais à te l'offrir. En gage de mon amour.

Gemma, profondément émue, ne put retenir un sanglot.

— Tu me gâtes trop. Je me sens… mal.

— Pas autant que moi en ce moment, déclara Nathan avec un sourire.

Puis il lui glissa la bague au doigt. Elle était un peu trop large.

— Oh, non, murmura Gemma.

Cet épisode l'avait profondément troublée, et elle luttait à présent contre un sentiment croissant de culpabilité. La bague qu'il lui offrait aurait dû la rassurer sur ses intentions, mais elle avait l'impression qu'il manquait quelque chose. La faute en incombait peut-être aux habitants de Belleview, avec leurs sous-entendus et leurs mises en garde contre Nathan. Ou peut-être son propre passé était-il responsable de cette méfiance instinctive. Entre son père, cruel et brutal, et le mineur qui avait failli la violer, son expérience du sexe opposé n'était guère encourageante.

— Je vais la faire ajuster, déclara son compagnon, remettant le bijou dans son coffret.

Il la dévisagea ensuite, s'attardant sur ses lèvres.

— Je suppose qu'il n'y a pas moyen de reprendre là où nous nous sommes arrêtés ?

— Je… je ne préfère pas, non.

— Tu as l'air indécise. Dois-je en déduire que je pourrais te faire changer d'avis ?

— Nathan, tu sais très bien que tu pourrais me faire changer d'avis. Mais, si tu m'aimes, n'essaie pas.

Elle tressaillit lorsqu'il leva la main pour lui caresser la joue, puis effleura ses lèvres entrouvertes. Gemma sentit sa respiration s'accélérer, son cœur s'emballer.

— Je vois que tu n'as pas changé, malgré ta nouvelle coiffure et ta sophistication… Mais lorsque nous serons mariés, c'en sera fini de ces petits jeux. Je te ferai l'amour chaque fois que j'en aurai envie…

Sa main descendit alors sur son sein droit, l'enveloppa doucement à travers le cashemere qui le recouvrait. Ce faisant, il reprit d'une voix grave et hypnotique :

— J'ai l'intention de t'aimer comme l'on n'a jamais aimé une femme à ce jour… Nous partagerons une telle entente sexuelle, toi et moi, qu'il suffira que je te regarde d'une certaine façon pour que tout ton corps s'éveille. Nous ne ferons plus qu'un. Tu n'auras même pas envie de regarder d'autres hommes. D'ailleurs, si tu le fais, je t'étranglerai de mes propres mains…

Il déposa un baiser léger sur ses lèvres, tandis que ses mains remontaient de nouveau vers son cou, comme pour illustrer sa menace. Gemma était cependant bien trop excitée pour concevoir la moindre peur. La relation qu'il lui décrivait était si tentante qu'il lui semblait qu'elle n'aurait pas le courage d'attendre. Presque involontairement, elle vacilla et bascula lentement vers lui.

— Nathan… Oh, Nathan…

Il l'embrassa de nouveau, avec une passion montrant à quel point il lui était facile de la réduire à l'état de marionnette. Puis il la repoussa doucement, un sourire vaguement moqueur aux lèvres.

— Ces quatre semaines vont être un véritable calvaire, murmura-t-il d'une voix rauque. Mais assez étrangement, je suis d'accord avec toi. Je préfère attendre notre mariage avant de te faire l'amour. Comme ça, tu seras totalement rassurée, et bien plus disposée à te rendre à moi corps et âme…

Sur ces mots, il se leva et quitta la pièce. Gemma se laissa tomber sur le lit, en proie à une telle frustration qu'elle aurait voulu hurler. Ou courir après Nathan pour lui dire qu'elle avait changé d'avis, et qu'elle acceptait de l'accompagner à Avoca après tout.

Mais son sixième sens lui disait qu'il ne changerait pas d'avis. L'instant magique où tout aurait pu arriver était passé. Envolé. Elle l'avait rejeté une fois de trop, et l'occasion ne se reproduirait pas avant quatre semaines.

Quatre semaines, songea-t-elle, incapable de retenir un soupir. Autant dire une éternité.

11.

— Tournez à droite au prochain feu, ordonna Kyle.

Jade ne répondit rien mais obéit, toujours perturbée par le sourire qu'il lui avait décoché en lui disant, juste avant de quitter le bureau, qu'elle avait gagné. Mais gagné quoi, au juste ? Le droit d'obtenir un « s'il vous plaît » de sa part ? Non, c'était ridicule. Elle était certaine qu'il avait fait allusion à autre chose. Mais à quoi, au juste ?

— Arrêtez-vous, dit-il soudain, la tirant de sa rêverie.

— Ici ? demanda-t-elle en stoppant sa voiture devant une pharmacie ouverte toute la nuit.

— Oui. J'ai besoin d'acheter quelque chose.

Il ouvrit la porte et descendit de voiture avant qu'elle ait eu le temps de couper le contact. Moins d'une minute plus tard, il était de retour, un sac de papier brun à la main. Il ne lui dit pas ce qu'il venait d'acheter et elle se garda de le demander.

Ils redémarrèrent sitôt qu'il eut mis sa ceinture de sécurité.

— Il faudra tourner à gauche à la prochaine intersection, indiqua-t-il. Ensuite, prenez la deuxième à droite jusqu'à une petite baie. C'est là que j'habite.

Après avoir jeté un coup d'œil dans son rétroviseur, elle se glissa habilement dans le flot de la circulation.

— Vous conduisez bien, remarqua-t-il.

— Merci, répondit Jade, essayant de ne rien laisser paraître du plaisir exagéré qu'elle éprouvait.

Il était vrai qu'elle était peu habituée à recevoir des compliments. Des compliments qui ne concernaient pas son physique, en tout cas. Elle était de fait une très bonne conductrice, même si elle avait tendance à aimer la vitesse.

Elle découvrit d'ailleurs un peu tard que la route conduisant à la baie était une pente prononcée, et freina brutalement.

— Désolée, marmonna-t-elle en rougissant. Où allons-nous, maintenant ? renchérit-elle lorsqu'ils eurent atteint le bord de l'eau.

— Garez-vous là-bas.

Kyle lui désignait un ponton juste en face d'une petite marina nichée dans la verdure. Au bout du ponton, une magnifique maison-bateau se balançait sur son ancre.

— C'est là que j'habite en ce moment, déclara-t-il, suivant la direction de son regard.

— Dans le bateau ?

Elle n'avait pu dissimuler son étonnement. Un tel logement devait coûter une véritable fortune…

— On me le prête, expliqua Kyle.

Aussitôt, la lumière se fit en elle. Sa petite amie devait être très riche.

— Un ami, précisa son compagnon en souriant.

Agacée par sa perspicacité, elle le foudroya du regard.

— Je n'ai rien dit.

— C'était inutile. Je lis en vous comme à livre ouvert.

— Oh, vraiment ?

Il éclata de rire.

— Oui, vraiment.

Jade n'aimait pas le son de ce rire, bien trop arrogant à son goût. Aussi ne fit-elle pas mine de descendre lorsqu'il ouvrit la portière.

— Vous ne voulez pas entrer ? demanda-t-il avec étonnement.

— Pas particulièrement, non.

Avec un soupir, il replia ses jambes et referma la portière. Son regard, à présent, trahissait une vive exaspération.

— Je sais que les femmes sont par nature changeantes mais franchement, Jade…

— Franchement quoi ?

— Très bien.

Pivotant brusquement sur son siège, il se tourna vers elle, glissa une main derrière sa nuque et l'attira doucement à lui. Sous le coup de la surprise, et d'autres sensations qu'elle préférait ne pas identifier, elle ne songea même pas à résister.

Lorsque leurs lèvres se rencontrèrent, quelque part au-dessus du levier de vitesse, Jade crut que son cœur allait s'arrêter de battre. A son grand dam, elle laissa échapper un soupir fort peu sophistiqué lorsque leur baiser s'approfondit et que leurs langues se mêlèrent.

« Je suis morte, songea-t-elle, et je viens d'arriver au paradis. »

Mais le paradis disparut tout à coup lorsque Kyle se redressa enfin. Elle fit de même, agissant purement par instinct. Son compagnon la dévisageait avec ce sourire si particulier, qu'il lui semblait mieux comprendre à présent. Il s'agissait d'auto-dérision.

— J'avais raison, alors, dit-il d'un ton pensif. Diable… Qui l'eût cru ?

— Raison ? A… à propos de quoi ?

Il prit ses deux mains dans les siennes et les porta à ses lèvres.

— Vous avez envie de moi, n'est-ce pas, Jade ?

Il lui embrassa le bout des doigts et elle déglutit, incapable d'aligner deux idées cohérentes.

— Je… je…

— Pourquoi ne le dites-vous pas ? Vous croyez que je n'ai pas compris le message, samedi dernier ? Allons, ne soyez pas timide. Ce n'est pas votre style.

Il se pencha vers elle, au point qu'elle sentit son souffle lui brûler les lèvres.

— Dites-le, ordonna-t-il de nouveau. Dites que vous avez envie de moi.

Jade sentit son sang se mettre à bouillir dans ses veines, et le fixa avec un mélange d'effarement et d'excitation.

— Dites-le, bon sang ! Je veux l'entendre !

— Je… j'ai envie de vous ! bafouilla-t-elle.

La fin de sa phrase se perdit dans un baiser sauvage, d'une intensité telle qu'elle en eut le souffle coupé. Jamais personne ne l'avait embrassée ainsi de toute sa vie. Elle se mit à trembler entre ses bras, et tous deux haletaient lorsqu'ils se séparèrent enfin.

— Je n'avais pas l'intention de faire ça, murmura Kyle. Mais je ne peux pas lutter plus longtemps. Je ne peux plus résister à votre corps…

Habilement, il défit les deux premiers boutons de son chemisier et glissa une main à l'intérieur. Enveloppant l'un de ses seins, il en taquina l'extrémité tendue entre deux doigts, provoquant une telle décharge de plaisir en elle qu'elle ne put retenir un petit cri.

— Vous êtes très réceptive, observa-t-il d'une voix rauque.

Puis, se ressaisissant brusquement, il retira sa main et reboutonna le vêtement entrouvert.

— Assez pour le moment. Une voiture n'est pas l'endroit idéal pour poursuivre ce genre d'exploration. Je suis sûr que vous avez satisfait ce fantasme adolescent il y a des années, tout comme moi. Il y a un lit très confortable dans le bateau, ainsi que du champagne et de la musique. Que diriez-vous d'aller profiter de tout cela ?

Il était descendu de voiture avant même qu'elle pût répondre. Contournant le véhicule, il vint lui ouvrir la porte. Toujours pétrifiée par ce qui venait de se passer, Jade leva un regard hésitant vers lui. Mon Dieu, était-ce bien Mister Freeze qui la dévisageait avec une telle passion, ses yeux brûlant tels deux charbons ardents ? Il lui semblait qu'il s'agissait d'un autre homme, qui la désirait presque davantage qu'elle ne le désirait…

Glissant une main tremblante dans la sienne, elle se laissa attirer contre lui. Il l'embrassa de nouveau. Jade sentit pointer contre son ventre une protubérance révélatrice qui ajouta encore à son trouble.

— Vous allez croire que je n'ai pas eu de compagne depuis des années, dit Kyle avec un rire noir, la relâchant enfin. Pourtant, je vous assure que ce n'est pas le cas. Mais je dois admettre que je n'ai pas connu beaucoup de femmes telles que vous… Venez.

Il l'entraîna sur le ponton, si vite qu'elle faillit trébucher sur les planches disjointes. Les baisers et les caresses de Kyle l'avaient plongée dans un état d'excitation intense, mais quand bien même elle désirait plus que tout faire l'amour avec lui, elle ne pouvait se départir d'un sentiment de panique.

Car dès lors qu'il s'agirait de passer aux choses sérieuses, elle avait bien peur de décevoir son compagnon…

Jade ne s'était jamais inquiétée, auparavant, de son manque d'expérience. Plus exactement, elle n'en avait pas vraiment eu l'occasion. Ses deux premiers petits amis, adolescents maladroits, n'avaient été que trop heureux de trouver une jeune fille jolie et volontaire. Le seul fait de pouvoir faire l'amour leur avait procuré toute la satisfaction du monde, et ils ne s'étaient jamais plaints d'un quelconque manque de technique. Quant à son troisième et dernier amant, celui avec lequel elle avait couché juste après son fiasco avec Nathan, elle avait été bien trop ivre pour se soucier de son avis. Mais elle supposait qu'elle ne l'avait guère impressionné par ses prouesses sexuelles.

Kyle devait cependant s'attendre à un véritable festival. La façon dont il lui avait parlé, comme si elle était une experte consommée, en attestait. Il devait certainement croire tout ce que Nathan lui avait dit sur son compte !

La panique la fit s'arrêter brusquement. Sa main glissa hors de celle de Kyle, et il se retourna pour lui décocher un regard irrité.

— Qu'est-ce qu'il y a ?

— Je… je ne peux pas, bredouilla Jade.

Elle le vit serrer les mâchoires, mais il resta silencieux.

— Vous ne comprenez pas, poursuivit-elle d'une voix tremblante. Je… je n'ai pas votre expérience en la matière, malgré ce que tout le monde croit. Je ne peux pas coucher avec vous.

Elle baissa les yeux comme une vague de honte la submergeait. Elle savait qu'elle était ridicule à rechigner au moment crucial, alors qu'elle l'avait provoqué pendant toute la semaine.

Un doigt glissa sous son menton et la força à redresser la tête. Kyle la dévisageait, sourcils froncés.

— Qu'est-ce que ça veut dire, vous n'avez pas mon expérience ? Vous m'avez dit que vous ne gardiez jamais un amant plus d'un mois.

Rougissant furieusement, elle marmonna :

— C'est vrai.

— Combien d'aventures avez-vous eues ? Dix, quinze, vingt ? Cent ? Vous devez bien avoir une vague idée.

— Pas vague, non, murmura-t-elle, les yeux rivés au sol. Je connais le nombre exact. Trois.

Un silence électrique tomba entre eux. Jade n'osait pas lever la tête, de peur de se heurter à l'expression incrédule de Kyle.

— C'est la vérité, reprit-elle d'une voix sourde. Les deux premiers datent de mon adolescence. Le troisième était l'affaire d'une nuit. C'était il y a quelques mois, à un moment où j'étais... malheureuse.

Comme il ne répondait toujours rien, elle leva enfin les yeux et vit qu'il lui avait tourné le dos. Son regard était fixé au loin sur l'horizon.

— Kyle ? murmura-t-elle en lui effleurant l'épaule. Vous... vous ne me croyez pas, n'est-ce pas ? Mais je vous jure que c'est la vérité.

Il se tourna vers elle, la mine indéchiffrable.

— Avez-vous toujours utilisé une protection en faisant l'amour ?

— Oui, toujours.

— Et avez-vous pris du plaisir ?

Elle ne savait que répondre. Elle avait pris un certain plaisir lorsque Nathan l'avait embrassée, mais ce n'était certainement pas ce qu'il voulait dire.

— Pas vraiment, reconnut-elle. Mais je suis sûre que j'en aurai avec vous, se hâta-t-elle d'ajouter.

Elle ne voulait pas le voir faire machine arrière. Pour une raison qu'elle ignorait, elle voulait absolument faire l'amour avec lui. Elle voulait...

Oh, Seigneur, elle ne savait plus ce qu'elle voulait. Elle savait juste qu'elle appréciait d'être désirée. Mais peut-être Kyle n'avait-il été attiré que parce qu'il s'était imaginé qu'elle avait de l'expérience. Qu'elle saurait lui plaire par mille techniques sophistiquées dont elle ignorait tout. Au lieu de cela, il se retrouvait face à une gamine nerveuse et effarouchée !

Les larmes lui montèrent aux yeux. Elle avait bataillé dur, pendant toute sa vie, pour se convaincre malgré les critiques de sa mère qu'elle était quelqu'un de bien, une personne digne d'estime. Elle avait développé son attitude extravertie et l'avait utilisée telle une armure, prétendant que rien ne pouvait l'atteindre. Où était donc son courage légendaire, maintenant qu'elle en avait le plus besoin ?

— Ne pleurez pas…

L'émotion qui perçait dans la voix de Kyle lui fit lever les yeux. Il lui adressa alors un sourire qui lui fit chaud au cœur.

— Là, c'est mieux. La Jade que je connais n'est pas une pleurnicheuse. Elle redresse la tête et elle va farouchement de l'avant, surtout lorsqu'elle n'a rien à se reprocher, si ce n'est un peu de naïveté.

Il tendit la main, lui effleura la joue et reprit :

— Est-ce que vous me faites confiance, Jade ?

Elle acquiesça, trop émue pour parler. Au moins, s'il la repoussait, c'était avec douceur.

— Dans ce cas, je vais vous emmener à l'intérieur et vous servir quelque chose à boire. Nous écouterons un peu de musique et, si nous en avons envie, nous laisserons la nature suivre son cours.

Jade écarquilla les yeux, tandis que son cœur se remettait à cogner dans sa poitrine.

— Vous… vous voulez toujours faire l'amour avec moi ?

Il partit d'un rire grave et moqueur, avant de déclarer :

— Jade, je vous désire depuis l'instant où j'ai posé les yeux sur vous, le soir où vous m'avez accueilli à Belleview. Et je dois avouer que vous m'avez véritablement mis à la torture, toute cette semaine.

Ahurie, la jeune femme secoua la tête.

— Mais… mais… vous n'en avez rien montré !

— Peut-être que vous n'avez pas regardé au bon endroit, fit-il valoir avec un sourire. Mais assez parlé de ça. Si je dois être le premier amant à vous satisfaire, je vais avoir besoin de toute ma concentration.

Puis il lui présenta son bras, et demanda avec componction :

— Puis-je faire faire à madame le tour du propriétaire ? Et lui proposer des rafraîchissements après cette dure semaine ?

— J'en serais ravie, répondit Jade en riant.

La maison-bateau, lui apprit Kyle, était l'une des rares autorisées à Sydney. Elle lui était prêtée par un certain M. Gainsford, parti plusieurs mois pour affaires.

Jade fut si impressionnée en découvrant l'intérieur qu'elle en oublia d'être nerveuse. Tout, des meubles au plafond en passant par le sol et la décoration, était fait de bois magnifiquement travaillé, poli, sculpté, ou ciré. La teinte rouge du cèdre répondait à la blondeur du pin et à la chaleur dorée du teck. Quelques tapis posés çà et là constituaient des taches de couleur vive, tout comme les chaises et le canapé bordeaux. Au rez-de-chaussée se trouvait une cuisine américaine séparée du salon par un bar.

— Votre M. Gainsford doit être riche, remarqua-t-elle en s'approchant pour étudier les rangées de disques et de vidéos placés sur une étagère. Et il n'aime pas Mozart.

— Non, en effet.

Curieuse d'en savoir plus sur ce mystérieux ami, elle demanda :

— Qu'est-ce qu'il fait, au juste ?

— Oh, c'est un homme d'affaires. Il est membre de divers conseils d'administration et passe sa vie à sillonner le monde et à coucher à droite et à gauche avec des femmes splendides. Il a aussi très bon goût en matière de champagne, ajouta Kyle en tirant une bouteille du réfrigérateur. Ça vous tente ?

— Pourquoi pas ?

Jade prit place sur un tabouret, de l'autre côté du bar, et demanda :

— Vous croyez qu'il nous en voudra d'avoir bu son champagne ?

— Pas le moins du monde. J'ai la permission de profiter de tout ce qu'il a laissé.

— Y compris des femmes ? suggéra-t-elle, se rappelant sa conversation téléphonique.

Le bouchon sauta et Kyle remplit d'une main experte deux flûtes de champagne. Accueillait-il ainsi toutes les femmes avec lesquelles il faisait l'amour ? L'idée, pour une raison qu'elle ignorait, troublait Jade. Elle ne pouvait tout de même pas lui reprocher d'être expérimenté !

Enfin, il lui tendit sa flûte de champagne en souriant.

— C'est une question piège. Je refuse de répondre de peur que ce que je dise puisse être retenu contre moi !

Contournant le bar, il vint prendre place auprès d'elle et leva son verre

— A quoi boirons-nous ?

— Au généreux M. Gainsford ? suggéra-t-elle avec un soupçon d'aigreur.

Kyle se mit à rire.

— Très bien. A M. Gainsford. Puisse-t-il ne pas revenir de sitôt.

Ils trinquèrent et burent. Jade vida son verre avant de le reposer. Rien de tel que du champagne pour la soûler, surtout sur un estomac vide. Mais avec la soirée qui l'attendait, une légère ivresse ne lui ferait sans doute pas de mal…

Saisissant la bouteille, elle se resservit généreusement.

— Alors, dites-moi, Kyle, comment avez-vous rencontré ce M. Gainsford ? Avez-vous travaillé pour lui ?

— Non. Nous… hmm, nous sommes allés à l'université ensemble. Il n'était pas très populaire, à l'époque. Terriblement snob. Il s'imaginait que l'argent pouvait lui permettre de s'acheter tout ce qu'il voulait.

— Je ne suis pas sûre que je l'apprécierais, commenta Jade en plissant le nez.

— J'étais comme vous. Mais il a changé. Je l'apprécie de plus en plus.

— Peut-être parce qu'il n'est pas là ! dit-elle en riant. Il doit vous estimer, en tout cas, pour vous laisser l'usage de sa maison. A moins qu'il ne se serve de vous ?

— Devons-nous vraiment parler de Gainsford ? Je préfère parler de vous, pour ma part. Non, je préfère ne pas parler du tout. Prenez votre verre, je me charge de la bouteille.

— Où allons-nous ?

— Au lit.

— Juste… comme ça ? bredouilla Jade.

— Juste comme ça, répondit posément son compagnon.

— Mais vous avez dit…

— Je sais ce que j'ai dit. Je me suis trompé. Je dois vous faire l'amour maintenant. Je ne peux pas attendre plus longtemps.

Jade le dévisagea avec effarement, le souffle coupé. Involontairement, ses yeux se posèrent sur les lèvres de Kyle, et elle les imagina courir sur son propre corps nu. Lentement, il s'avança vers elle et l'embrassa, effleurant à peine sa bouche.

— Je suis sûr que vous n'avez pas envie d'attendre non plus… Nous n'avons pas besoin de longs préliminaires. Cette semaine en a tenu lieu. Vous et moi sommes déjà aussi excités que nous pouvons l'être, du moins avec des vêtements sur le dos. Si vous continuez ce petit jeu, je ne serai plus à même de vous satisfaire. Vous pourrez dire adieu à notre partie de jambes en l'air.

— Je ne veux pas d'une partie de jambes en l'air ! Je veux faire l'amour !

Il parut sincèrement dérouté, l'espace d'un instant, puis sourit.

— Quel idiot je fais. J'oubliais l'importance de la sémantique. Faire l'amour… Oui, bien sûr, c'est beaucoup mieux.

Toujours souriant, il se dirigea vers l'escalier de bois montant à l'étage. Il s'arrêta brusquement sur la dernière marche, et tourna vers Jade un regard noir, énigmatique.

— Etes-vous amoureuse de moi ?

Elle tressaillit, et secoua farouchement la tête.

— Je… je ne sais pas.

— Une réponse honnête. Bravo. Je vous admire. Je ne prétendrai pas que je vous aime, parce que j'ai un problème avec ce mot. Mais je vous admire. Est-ce que ça vous suffit, pour le moment ?

Elle acquiesça lentement, incapable de réfléchir.

— Vous venez, ou vous avez l'intention de me torturer encore ? J'ai l'impression que vous aimez faire souffrir les hommes.

Comme elle ne bougeait toujours pas, pétrifiée par un afflux d'émotions contradictoires, il revint lentement vers elle, ôta le verre de sa main tremblante et l'avala d'un trait.

— Vous avez assez bu. Voyons s'il n'est pas possible de satisfaire vos autres désirs.

Il la souleva dans ses bras, plongea ses yeux dans les siens et sourit :

— Qui aurait cru que la bombe sexuelle qui m'a sifflé il y a une semaine n'était qu'une ingénue ? Vous êtes très intrigante, Jade. Et très excitante.

Comme si elle ne pesait rien, il la transporta à l'étage. Bien que grand, Kyle n'était pas massif, et sa musculature était tout en puissance et en souplesse. Jade frémit des pieds à la tête. Il lui semblait être une poupée de chiffons entre les mains de cet homme qui paraissait tellement à l'aise en toutes circonstances.

— Kyle… Je suis un peu nerveuse.

— Pas nerveuse. Excitée.

Il la reposa enfin à terre, si près du lit qu'elle dut s'accrocher aux pans de sa veste pour ne pas tomber à la renverse sur le matelas.

— Vous apprenez vite, remarqua Kyle. Je ne savais pas que vous vouliez me déshabiller.

— Vous déshabiller ? répéta-t-elle stupidement.

— Oui. Le contraire d'habiller. Vous savez, défaire tous ces petits boutons et fermetures ? Et quand vous avez fini, vous n'avez plus rien sur le dos. Il est beaucoup plus facile de faire l'amour nu. Encore que ce ne soit pas nécessairement plus excitant. L'idée de vous faire l'amour dans une tenue soigneusement choisie n'est pas pour me déplaire... Mais réservons cela à une prochaine occasion. Pour le moment, faisons simple.

D'un geste sec, il défit sa cravate, pendant qu'elle faisait glisser sa veste de costume de ses épaules et l'abandonnait à même le sol. Sa chemise suivit bientôt le même chemin, et il se retrouva nu jusqu'à la taille. Instinctivement, Jade posa les deux mains sur son torse sculptural et descendit jusqu'à sa ceinture. Elle sentit son cœur cogner dans sa poitrine, offrant un flagrant démenti à sa façade composée.

Elle-même ne pouvait dissimuler la violence de son désir. Elle était si troublée qu'elle dut se retenir de planter ses ongles dans la peau de Kyle. Ses lèvres s'entrouvrirent comme elle plongeait ses yeux dans les siens, en une muette invitation au baiser.

Dans un mouvement si rapide qu'elle n'eut pas le temps de réagir, Kyle s'abattit sur elle avec un grognement et la renversa sur le lit. Il avait eu raison en affirmant qu'ils n'avaient pas besoin de préliminaires... Déjà, une chaleur moite pulsait entre ses cuisses. Jade ne se souciait plus d'un simple baiser. Elle avait envie de lui. De lui tout entier.

Arrachant ses lèvres des siennes, elle enfouit sa bouche au creux de son cou et lui fit part de son désir en des termes pour le moins explicites. Le simple fait de s'entendre parler ainsi l'aurait remplie de honte en temps normal. Mais cela ne fit que l'exciter davantage, au point qu'elle s'enhardit à se répéter, en le mordant cette fois…

— Très bien, gronda-t-il en frissonnant. Tu l'auras voulu. Mais ne viens pas te plaindre après coup…

Kyle lui arracha littéralement ses vêtements, envoyant plusieurs boutons voler dans toutes les directions. Il s'arrêta fugitivement pour la regarder lorsqu'elle se retrouva nue, le souffle court et saccadé. Puis il la cloua sous son poids, glissant dans le même mouvement entre ses cuisses. Jade ne se préoccupait plus de son manque d'expérience ou de ses doutes. Seule comptait l'extra-ordinaire sensation de cet homme qui la possédait, l'emplissait tout entière, lui imposait un rythme furieux et endiablé. Un plaisir mêlé de tension enfla en elle, jusqu'à soudain devenir intenable.

— Kyle ! cria-t-elle.

Un soupir torturé lui échappa. Puis la tension se transforma soudain en extase, et elle crut voir des centaines de points lumineux exploser devant ses yeux tandis qu'une silencieuse déflagration ébranlait tout son être.

— Oh mon Dieu ! Kyle…

Elle le sentit lui aussi tressaillir au plus profond d'elle-même, tandis qu'il atteignait à son tour le plaisir suprême.

Jade fixait le plafond avec ébahissement, encore sous le coup de cette extase primitive et animale, lorsqu'elle se rendit soudain compte qu'ils n'avaient utilisé aucune protection.

12.

Jade se serait sans doute redressée brusquement si Kyle n'avait pas été affalé sur elle, la clouant au lit de tout son poids. Mais il dut la sentir s'impatienter car il redressa la tête, ouvrit un œil et demanda :

— Quoi ?

— Nous... nous n'avons utilisé aucune protection, murmura-t-elle.

Il acquiesça, avant de s'affaisser de nouveau sur elle.

— Oui. Je m'en suis rendu compte à mi-chemin...

Jade fut choquée par cet aveu et par le ton badin qu'il avait employé.

— Pourquoi ne t'es-tu pas arrêté, dans ce cas ?

De nouveau, il redressa la tête. Cette fois, ses deux yeux étaient ouverts, brillant d'un éclat moqueur.

— Tu plaisantes ? Après ce que tu m'as dit ?

Puis il soupira et demanda plus sérieusement :

— Quels sont les risques ?

— Je... je ne sais pas. Mon Dieu, pourvu que je ne tombe pas enceinte ! Attends...

Un rapide calcul lui fit bientôt pousser un soupir de soulagement.

— Mes prochaines règles tombent dimanche, Dieu merci. Quoi qu'il arrive, je vais chez mon médecin demain et je lui demande de me prescrire la pilule !

Kyle roula si brusquement sur le côté qu'elle tressaillit. La sécurité et le confort qu'elle ressentait laissèrent place à un intense sentiment d'abandon.

— Ç'aurait donc été si terrible d'avoir un enfant de moi ? demanda son compagnon en fixant le plafond.

Sa voix était froide, presque amère, et Jade en fut déroutée.

— Pas un bébé de toi en particulier, répondit-elle. Un bébé tout court. Je suis en dernière année d'université et je viens à peine de commencer chez Whitmore. Tu sais depuis combien de temps je rêve de ça ?

Elle préféra ne pas préciser qu'elle ne ferait certainement pas, en sus de cela, une bonne mère...

Lentement, il tourna la tête sur l'oreiller pour la dévisager.

— Qu'est-ce que tu veux dans la vie, Jade ? A part mon poste, bien sûr.

— Oh, tu es au courant, dit-elle avec un rire embarrassé.

— Je te l'ai dit : je lis en toi comme à livre ouvert.

— Je serais ravie de te laisser le poste un peu plus longtemps. Jusqu'à ce que tu m'aies appris tout ce que tu sais.

— Nous parlons toujours du travail ?

Le sous-entendu lui fit piquer un fard et Kyle reprit d'un ton amusé :

— J'adore te voir rougir. C'est adorable.

Du bout des doigts, il caressa ses seins, lui arrachant un petit soupir de bien-être. Jade ne s'était toujours pas remise de l'effet qu'il avait sur elle.

— Tu as un corps magnifique. Ta mère devait être une très belle femme.

— Oui, répondit-elle avec raideur. Physiquement.

Ses doigts se figèrent, tandis qu'il levait sur elle un regard pensif.

— Qu'est-ce que ça veut dire ?

Elle haussa les épaules, tentant d'ignorer la peine qui lui serrait la poitrine tel un étau.

— Tu ne t'entendais pas avec ta mère, Jade ? Je sais qu'elle est morte récemment. Byron me l'a dit. Si tu éprouves une quelconque culpabilité, tu ferais peut-être bien de m'en parler.

— Moi, coupable ? railla-t-elle. Tu plaisantes ? Je n'ai aucune raison de me sentir coupable. Mon seul regret est qu'elle soit morte avant que j'aie eu le courage de lui dire ce que je pensais d'elle ! C'était une vraie sorcière !

Sa tirade achevée, elle resta silencieuse et tremblante, jusqu'à ce que son compagnon l'attire dans ses bras, contre son corps brûlant.

— Tu te trompes, Jade. Sa mort a été une libération. Pour tous ceux qui la côtoyaient. Ce devait être une femme terrible pour que tu en parles ainsi.

— Je crois qu'elle me détestait, Kyle. Et je ne peux pas m'empêcher de me demander pourquoi. Elle me frappait quand j'étais petite. Oh, jamais devant mon père, bien sûr. Si Nathan n'était pas venu vivre à la maison...

— Nathan l'a empêchée de te frapper ?

— Je ne sais pas. Peut-être. Ou sa simple présence l'en a dissuadée. A partir de ce moment-là, sa violence est devenue verbale. A l'en croire, je ne faisais jamais rien de bien. Elle a même essayé de faire croire à mon père que je n'étais bonne à rien. Pourquoi une mère ferait-elle une chose pareille ?

— Je ne sais pas, Jade. Elle était sûrement dérangée. Ou simplement cruelle. Certaines personnes sont comme ça, et ça ne s'explique pas. Cependant, une chose est sûre : elle n'a jamais réussi à monter ton père contre toi. Il te voue une véritable adoration. Bien sûr, il s'inquiète parfois de ton caractère rebelle, pour ne pas dire franchement provocateur, mais il commence à apprécier tes qualités.

— Mes qualités ?

— Oui. Le fait que tu es une jeune femme brillante… quand bien même tu ferais mieux de porter plus souvent un soutien-gorge. Encore que je ne vais pas m'en plaindre, en cet instant précis.

Sa main reprit ses caresses, incroyablement tentatrices et érotiques. Instantanément, Jade sentit ses seins se durcir et se tendre en réponse à ses attentions. Ses poumons parurent se vider brusquement pour se remplir de nouveau d'un air brûlant. Elle se mit à le caresser en retour, avec une absence totale de pudeur dont elle fut la première surprise.

— Je n'ai jamais autant désiré un homme, confessa-t-elle. A quoi est-ce dû ?

— Peut-être que tu es amoureuse pour la première fois ? suggéra Kyle d'une voix rauque.

— Ça t'ennuierait que je sois amoureuse de toi ? Je sais que beaucoup d'hommes prendraient leurs jambes à leur cou.

— Pourquoi ? C'est le cas ?

— Je ne sais pas. Je me suis déjà crue amoureuse, dans le passé, et j'ai constaté que je ne l'étais pas. Et toi ? Tu as déjà été amoureux ?

— Jamais.

Ce « jamais » s'appliquait-il également à elle ? Oui, sans doute. Et il était inutile de se bercer de rêves inutiles quand elle-même ne savait plus très bien ce qu'elle éprouvait.

— Quoi que je ressente, reprit-elle, j'aime quand tu me fais l'amour. J'aime sentir ton corps contre le mien. A l'intérieur du mien.

Il lui prit les mains et les lui emprisonna au-dessus de sa tête, tandis qu'il se penchait sur elle.

140

— Et moi, j'aime tout ce qui vient de toi. Absolument tout…

Il l'embrassa, très lentement, comme s'il voulait savourer sans se presser le plus délicieux des mets. Jade frémit sous l'impact de ce baiser, le plus torride qu'elle avait jamais échangé avec un homme. La langue de Kyle s'enroula autour de la sienne, la taquina un instant avant de se dérober, puis de revenir à l'assaut. Lorsqu'il redressa enfin la tête, Jade sentait des frissons électriques parcourir ses lèvres, qui lui semblaient avoir enflé sous l'effet de la passion.

— Tu aimerais te mettre sur moi ? demanda-t-il d'un ton malicieux, tandis que, d'un genou, il entrouvrait ses cuisses.

— Je… je ne sais pas. Je n'ai… jamais essayé.

Un sourire sensuel se dessina sur les lèvres de Kyle.

— Essaie de ne pas t'y habituer…

— Vendredi, Dieu merci ! s'exclama Jade en pénétrant dans le bureau, et en s'arrêtant devant Moira comme les portes de verre se refermaient derrière elle.

— Amen, compléta celle-ci. Cette semaine a été pour le moins éprouvante.

— Je ne vous le fais pas dire, murmura une voix dans le dos de Jade.

Elle pivota et se trouva face à Kyle. Il paraissait tendu, presque en colère à en juger par la ligne dure de ses lèvres. Cette expression ne faisait cependant qu'ajouter à son charme, en renforçant la noirceur et l'intensité de son regard. Jade le fixa d'un œil avide. Une semaine s'était écoulée depuis qu'ils avaient fait l'amour, et elle brûlait d'un désir irrépressible. Le fait de devoir travailler avec lui comme si de rien n'était, le mercredi précédent, l'avait mise au supplice. Elle ne s'était rendu compte de l'ampleur de sa frustration qu'en le revoyant en chair et en os.

— Tu arrives juste à temps, murmura-t-il en la prenant par le coude et en l'entraînant vers son bureau. Je n'ai fait que gérer des problèmes depuis ce matin, et j'en ai un tout frais qui vient d'arriver !

— Pas les dates du bal, j'espère ? Ne me dis pas que l'attachée de presse du Regency les a encore changées ?

— Non, ça n'a rien à voir, répondit-il en refermant la porte derrière eux.

Puis il lui arracha son sac, le jeta dans un coin de la pièce, la prit par les épaules et l'embrassa sauvagement. Choquée et ravie à la fois, Jade ne songea même pas à protester lorsqu'il l'adossa à la porte de bois pour l'embrasser plus confortablement et plus profondément. Il semblait que Kyle était tout aussi frustré qu'elle...

— Tu es en retard, grommela-t-il en la relâchant enfin, après quelques instants torrides.

— C'est toi qui m'empêches de venir en voiture, lui rappela-t-elle, haletante.

Elle glissa ensuite une main derrière sa nuque et l'attira de nouveau, avide d'une nouvelle dose de tourment érotique. « C'est ridicule, songeait-elle pendant ce temps. Nous ne pouvons pas faire cela ici. A quoi bon nous torturer ? »

Kyle, lui, ne semblait pas animé des mêmes scrupules.

— Tu es superbe en blanc, commenta-t-il en déboutonnant la veste de son tailleur. Mais je te préfère sans rien.

Jade se raidit lorsqu'il caressa ses seins nus, puis se pencha pour en agacer de la langue l'extrémité durcie. Quelque chose en elle se contracta douloureusement, tandis que le désir éclatait dans sa tête tel un feu d'artifice.

— Kyle, non...

Elle soupira d'aise lorsqu'il abandonna enfin sa poitrine, mais son soulagement fut de courte durée. Car il se dirigeait vers une destination plus intime encore, qu'il atteignit quelques

142

secondes plus tard. Son slip de dentelle n'arrêta pas ses ardeurs, il l'écarta d'un geste brusque avant d'enfouir ses lèvres au cœur de sa féminité. Crispant la main dans la chevelure de Kyle, Jade ne put retenir un cri de plaisir étouffé. Elle renversa la tête en arrière contre la porte, tandis que ses joues s'enflammaient.

— Et… et si quelqu'un entre ? demanda-t-elle d'une voix tremblante.

— Je m'en moque…

Grâce à Dieu, personne n'entra. Après coup, lorsque Jade eut recouvré ses esprits, elle se demanda comment ils avaient pu faire une chose pareille.

— Nous devrions être plus prudents, soupira-t-elle en s'effondrant sur sa chaise.

— Oui, répondit-il en allant tranquillement reprendre sa place, avec un calme souverain qui irrita Jade.

— Et alors ? Pourquoi avons-nous fait cela ?

— Tu as un effet dévastateur sur ma prudence naturelle.

Mais Jade ne partageait guère son amusement apparent.

— Je… j'espère que notre relation ne se limitera pas à des parties de jambes en l'air le vendredi.

— J'espère bien que non. J'y ajouterai le mercredi, à l'avenir. Et depuis quand sommes-nous revenus à des parties de jambes en l'air, au lieu de faire l'amour ?

— S'aimer contre une porte, ce n'est pas faire l'amour.

En guise de réponse, il se contenta d'un sourire qui l'agaça davantage.

— Je ne veux pas d'une relation fondée uniquement sur le sexe, fit-elle valoir.

— Je suis parfaitement d'accord. Je t'ai d'ailleurs proposé d'emménager avec moi, mais tu as refusé. Je t'ai également offert de sortir plusieurs fois cette semaine, sans plus de succès. Et cela sous prétexte que tu commençais à prendre la pilule.

Crois-moi, j'aurais été heureux de passer simplement du temps avec toi.

Jade ne put s'empêcher de grimacer. Elle devait bien avouer que lorsqu'elle s'était réveillée le samedi matin, et que Kyle lui avait tranquillement proposé de vivre avec lui, tout en préparant le petit déjeuner, elle avait paniqué. Peut-être était-ce dû à son penchant naturel pour l'indépendance, ou à sa résistance à toute tentative extérieure d'organiser sa vie à sa place. Ou peut-être avait-elle eu peur de sa vulnérabilité lorsqu'elle se trouvait avec Kyle…

Ce qui venait de se passer, d'ailleurs, lui confirmait si besoin était que sa méfiance n'était pas infondée. Kyle avait le pouvoir de lui faire perdre tout contrôle d'elle-même pour lui faire faire ce qu'il voulait. Etait-il normal de perdre à ce point ses valeurs et son identité sous l'effet du désir ? A l'ébahissement succéda bien vite la colère…

— Je ne pouvais pas sortir avec toi, rétorqua-t-elle sèchement. J'avais une note de synthèse à finir.

— Tu aurais pu la faire chez moi.

Jade ne put réprimer un éclat de rire ironique.

— Certainement pas ! Tu es une trop grande source de distraction.

— Si nous vivions ensemble, nous nous habituerions l'un à l'autre et n'aurions plus à faire l'amour entre deux portes dans un bureau. Et je ne vois pas comment nous allons pouvoir continuer à travailler dans la même pièce si tu rationnes nos ébats… Allons, réfléchis… Pourquoi ne pas accepter ma proposition ? Byron m'a dit que tu n'habitais plus à Belleview depuis longtemps.

— Ça ne veut pas dire que j'ai vécu avec un homme, maugréa-t-elle, horriblement tentée d'accepter. Je crois qu'un homme et une femme ne devraient pas habiter sous le même toit sans être mariés.

— Ah, c'est donc le problème. Choisis une date, alors.

— Allons, ne sois pas ridicule. Tu ne m'aimes pas. Pourquoi m'épouserais-tu ? De toute façon, je n'ai aucune intention de me marier. Pas plus que d'avoir un enfant ! A présent, si tu veux bien, je dois aller aux toilettes.

Jade quitta précipitamment la pièce, par peur d'être tentée d'accepter tout ce qu'il lui proposerait. Pendant qu'elle remontait le couloir, cependant, elle ne put s'empêcher de s'interroger sur l'expression qu'elle avait lue sur son visage juste avant de sortir. Kyle, en effet, avait paru dérouté. Sa demande en mariage, pourtant, n'était certainement pas sérieuse, n'est-ce pas ? Non, bien sûr…

Tandis qu'elle se lavait les mains, une autre pensée, plus inquiétante encore, la frappa brusquement. Et si sa proposition était sérieuse ? S'il voulait vraiment l'épouser, mais pour des raisons qui n'avaient rien à voir avec l'amour ?

Car elle était la fille du patron, après tout. Bien des hommes ambitieux s'étaient mariés pour avoir accès à une fortune ou des responsabilités. Son propre père avait épousé sa mère dans l'espoir de mettre la main sur Campbell Jewels.

Pis encore : Kyle lui avait fait l'amour en sachant pertinemment qu'il y avait un risque. Pourtant, il n'était pas homme à agir imprudemment ou à se laisser emporter par ses hormones. Se pouvait-il qu'il eût un plan ?

Son cœur se serra brusquement. Kyle était-il capable d'une manœuvre aussi vicieuse, par pure ambition ? Elle se rappela soudain le regard appréciateur qu'il avait posé sur Belleview, l'habileté avec laquelle il avait su séduire son père…

« Tu es paranoïaque, se morigéna-t-elle aussitôt. Kyle n'est pas ce genre d'homme. »

Mais elle ne parvint pas à s'en convaincre complètement, et elle y songeait encore en retournant vers le bureau. Que savait-elle de Kyle, après tout ? Presque rien.

Il était au téléphone, l'air sombre, lorsqu'elle le rejoignit.

— Je vois, disait-il à son interlocuteur. C'est donc comme ça qu'elle procède. Hmm, elle est habile. Mais à moins que nous ne graissions nous aussi la patte des tour operators et des guides, ils continueront d'ignorer nos magasins au profit de ceux de Campbell. Et Byron ne fera jamais ça. Pardon ? Non, je ne vois pas comment nous pourrions porter l'affaire devant la justice. En revanche, nous pourrions laisser filtrer cette information auprès de télévisions locales. Campbell Jewels n'en sortira pas indemne, et c'est tant mieux. Non, elle n'aura que ce qu'elle mérite. Cette femme est un vrai démon. Merci, Peter, tu t'es très bien débrouillé.

Il raccrocha et se mit à jouer pensivement avec un stylo, le regard perdu dans le vide. Jade n'aurait su dire s'il était réellement absorbé dans ses pensées ou s'il l'ignorait. Mais elle décida que le meilleur moyen de chasser ses doutes était de se montrer directe et honnête, comme elle l'avait toujours été.

— Euh… Kyle ?

Son regard noir dériva vers elle, et il cligna des yeux.

— Oui ?

— Tu as des frères et sœurs ?

— Non. Je suis fils unique.

— Et tes parents ? Ils sont encore vivants ?

— C'est un interrogatoire ?

— Non. Je… je viens juste de me rendre compte que j'en savais très peu sur toi.

— Et qu'est-ce qui motive ce soudain besoin d'en savoir plus ?

— Tu… tu promets de ne pas te fâcher, si je te le dis ?

— Je vais essayer.

— Eh bien… je me demandais si tu étais sérieux en proposant de m'épouser, alors que tu ne m'aimes pas. Je me suis même demandé si tu ne voulais pas que je tombe enceinte…

146

— Pourquoi ferais-je une chose pareille ? demanda-t-il froidement.

— Pour épouser la fille du patron ? suggéra-t-elle d'un ton qu'elle voulait moqueur.

— Si c'était le cas, pourquoi me serais-je arrêté à la pharmacie pour acheter des préservatifs, vendredi dernier ?

— Oh, c'était ça ? Quoi qu'il en soit, tu ne les as pas utilisés… Alors dis-moi franchement : était-ce ton intention ?

— Quoi ?

— De me forcer à t'épouser.

— Seigneur, non !

— Inutile de paraître si horrifié ! Je ne suis pas si repoussante, tout de même…

— Non, bien sûr. Mais je ne voudrais que d'une femme consentante. Et à ce sujet, est-ce que tu viendras chez moi, ce soir ?

— Peut-être que oui. Peut-être que non.

— Pas de ça avec moi, Jade. Je…

Il fut interrompu par un coup frappé à la porte, et ordonna sèchement :

— Entrez !

Moira passa la tête par l'entrebâillement.

— Byron voudrait voir Jade, annonça-t-elle.

Trop heureuse d'échapper à Kyle pour quelques instants, Jade se dirigea vers la porte. Elle préférait encore affronter son père que la tentation que représentait son patron…

— Ah, te voilà, bougonna Byron. Pas trop tôt.

Apparemment, Nathan s'était trompé en prévoyant un changement d'attitude complet…

— Je voulais savoir si tu avais besoin que je te ramène à la maison ce soir, reprit-il.

— Oh, euh, non. Je sors, après le travail.

— Toute la nuit, je suppose ? Comme vendredi dernier ?

Jade refusa de répondre. Elle n'était plus une enfant et refusait d'être traitée comme telle. Face à son mutisme, son père laissa échapper un soupir.

— Bon, assieds-toi et raconte-moi comment ça se passe avec Kyle. Il paraît te tenir en haute estime. Il dit que tu as du flair et des idées brillantes.

— C'est très gentil de sa part.

— Kyle n'est pas gentil. C'est l'un des hommes d'affaires les plus durs et talentueux que je connaisse. Tu dois faire les choses bien pour l'avoir impressionné comme ça.

Jade se sentit rougir. « Dis quelque chose, idiote, avant qu'il ne devine la vérité ! »

— Au fait, papa, est-ce que Kyle t'a parlé de notre projet de bal ? Et de l'Opale noire ?

— Oui. Une telle opération va coûter beaucoup d'argent, tu sais. Mais j'ai promis de lui faire confiance. Quant à l'Opale noire, fais-en ce que tu veux. Franchement, je ne serai pas fâché d'être débarrassé de cette foutue pierre. Elle n'a apporté que des ennuis à Whitmore Opals. Bien sûr, je préférerais que ce soit un collectionneur qui l'achète plutôt qu'un type qui va la réduire en petits morceaux. Gemma m'en voudrait si ça arrivait.

Jade ne put s'empêcher de sourire. L'ours Byron se laissait apitoyer par Gemma, qui n'avait pourtant aucun droit sur l'opale en question !

— De toute façon, répondit-elle, la pierre rapportera bien plus si nous la présentons comme une pièce de collection. Nous comptons l'exposer durant un certain temps dans le hall du Regency Hotel. Le bouche-à-oreille ne devrait pas tarder à faire son effet. Et si les enchères se passent bien, cette opale sera enfin une bénédiction pour nous. Un million de dollars suffirait à financer une bonne partie de nos autres projets, et à convaincre les banquiers de nous prêter le reste en les rassurant sur notre solvabilité.

148

Byron émit un petit sifflement.

— Eh bien, on dirait que tu sais de quoi tu parles.

— C'est le cas, papa. Puis-je voir ce trésor, à présent ?

Byron pivota dans son fauteuil, ouvrit le coffre encastré dans le mur derrière lui et en sortit ce qui semblait n'être qu'un gros caillou gris. Mais il le retourna, révélant la magnifique opale qui y était enchâssée. La lumière, en effleurant sa surface, lui arrachait des éclats multicolores, lui faisant décliner, selon les angles, tout le prisme de l'arc-en-ciel.

— Qu'est-ce qui s'est passé avec cette merveille, autrefois ? demanda-t-elle en l'étudiant avec admiration. Est-ce que grand-père l'a trouvée et a refusé de la partager avec M. Campbell ? Est-ce que c'est la raison de la querelle entre nos familles ?

— Je n'en ai pas la moindre idée, répondit Byron avec une raideur telle qu'elle comprit qu'il mentait.

L'histoire devait être sordide, en déduisit-elle, et porter atteinte à la mémoire de David Whitmore. Car le plus grand défaut de Byron, et sa plus grande faiblesse, était son attachement maniaque au nom des Whitmore et à leur réputation. C'était pour cela qu'il n'avait jamais osé divorcer. C'était pour cela qu'il avait si mal réagi aux frasques d'adolescente de sa fille. C'était pour cela enfin qu'elle avait été si surprise de le trouver dans les bras de la gouvernante. Même si elle comprenait à présent qu'il s'était agi là de la réaction d'un homme désespéré.

— Papa ? reprit-elle brusquement. Pourquoi est-ce que maman était comme ça ?

Avec un nouveau soupir, Byron secoua la tête.

— Elle était très malheureuse, Jade. Et… dérangée.

— D'accord, mais pourquoi ? Dis-moi la vérité. C'est important, et je suis en droit de savoir, maintenant.

— Je n'aime pas dire du mal de ceux qui ne sont plus là, grommela Byron.

— Papa, je crois qu'elle me détestait, et je veux savoir pourquoi.

— Non, Jade, ce n'était pas toi qu'elle détestait.

— Et ce n'était certainement pas toi non plus. Elle t'adorait.

Jade n'avait jamais cessé de s'étonner du changement qui se produisait dans l'attitude d'Irène lorsque son père rentrait à la maison. La transformation était digne de Dr Jekyll et Mr. Hyde.

— Elle m'adorait et elle me détestait.

— Mais pourquoi ? Parce qu'elle a découvert que tu ne l'aimais pas ?

Byron pâlit sous le coup de la surprise.

— Comment sais-tu que…

— Tout le monde est au courant.

— Tout le monde ?

— Dans la famille, en tout cas.

— Que… que savez-vous ?

— Que tu as épousé maman parce que tu pensais hériter de Campbell Jewels.

Il la fixa longuement, puis baissa les yeux et secoua la tête.

— J'ignorais que…

— C'est bon, papa. Je te pardonne. C'était il y a longtemps. J'avais juste besoin de réponses franches.

Il redressa de nouveau la tête et posa sur elle ses yeux d'un bleu outre-mer.

— Tu les as, maintenant. Et crois-moi : j'ai payé chèrement mon erreur.

« Et moi aussi », songea Jade. Mais au moins n'était-ce pas sa faute. Il lui semblait qu'un poids énorme venait d'être ôté de ses épaules.

150

Elle se leva, l'opale en main, vivement désireuse de la montrer à Kyle.

— Tu veux me frapper avec ça ? demanda ce dernier lorsqu'elle rentra dans la pièce.

— Pourquoi, tu le mérites ?

Elle alla s'asseoir sur le coin de son bureau et retourna la pierre devant lui.

— La voilà : l'Opale noire. Qu'est-ce que tu en penses ?

— Je pense... que si tu ne veux pas faire l'amour ici même, tu ferais bien de descendre tout de suite.

Ses yeux étaient rivés sur ses cuisses, et Jade sentit une bouffée de désir sourdre au creux de son ventre. Mue par une audace soudaine, elle remonta légèrement l'ourlet de sa jupe et se mit à balancer doucement les jambes. Non sans satisfaction, elle vit son compagnon serrer farouchement les poings.

— Il se peut que j'aie changé d'avis à ce sujet, dit-elle. L'idée d'avoir un jouet sexuel dans mon bureau ne me déplaît pas.

— Descends de ce bureau ! ordonna-t-il brutalement. Maintenant.

Déroutée par cette explosion de colère, elle se redressa et partit d'un rire nerveux.

— Désolée.

Elle voulut se diriger vers sa propre place, mais la mine de Kyle la paralysa. Jamais elle ne l'avait vu aussi... quoi ? Furieux ? Frustré ?

— Qu'est-ce qui t'arrive ? demanda-t-elle avec effarement.

— Je vois que mon image de modèle de sang-froid vient d'en prendre un coup, dit-il d'un ton glacial. Le mieux est que nous arrêtions les frais et que nous revenions à notre *statu quo* antérieur. Oui, ce serait sans doute préférable... Ça ne marchera jamais, entre nous.

D'abord tétanisée, Jade sentit ses jambes flageoler lorsqu'elle comprit qu'il était sérieux. Elle dut prendre appui sur le bureau pour ne pas tomber.

— Tu... tu le penses, Kyle ?

— J'ai bien peur que tu ne me connaisses pas bien. Si ce n'est dans le sens biblique du terme. Mais je peux t'assurer qu'à dater de maintenant je suis de nouveau le patron et toi mon employée. A moins que tu n'aies pris ce travail que dans l'espoir de coucher avec moi. Auquel cas tu ferais bien de démissionner.

— Tu sais très bien que ce n'est pas le cas !

— Non, je n'en sais rien.

Jade porta les mains à ses tempes, qui s'étaient mises à palpiter douloureusement.

— Pourquoi... pourquoi est-ce que tu fais ça ? Il y a quelques jours, tu voulais que j'emménage avec toi. Qu'est-ce qui a changé ? Qu'est-ce que j'ai dit ou fait ?

— Je n'ai pas à me justifier, Jade. Et je n'ai pas envie de mettre mon poste en péril simplement pour satisfaire mes hormones.

— Parce que c'est de cela qu'il s'agit ? reprit-elle, soudain écœurée. De satisfaire tes hormones ?

— Quoi d'autre ?

Elle le dévisagea sans un mot, médusée et abasourdie.

— Je dois y aller, Jade. Je suggère que tu t'occupes du bal. Et tu ferais bien de demander à ton père de te raccompagner ce soir. Parce que ce n'est pas moi qui m'en chargerai.

Jade parvint à se contrôler jusqu'au moment où il quitta la pièce. Alors elle s'effondra sur sa chaise et pleura toutes les larmes de son corps.

13.

— Tu vas me manquer ! se lamenta Kirsty en nouant ses bras autour du cou de Gemma.

— A moi aussi, tu vas me manquer, répondit cette dernière, les larmes aux yeux.

C'était certainement la dernière fois que Kirsty posait sur elle ce regard affectueux. Car, dans une semaine, elle deviendrait sa belle-mère. Dieu seul savait l'impact qu'un tel bouleversement aurait sur leur amitié. Gemma préférait ne pas y penser...

— Nous habitons dans la même ville, au nom du ciel ! soupira Lenore. Gemma pourra nous rendre visite quand elle voudra, et vice versa. A t'écouter, on croirait que tu quittes le pays !

Les deux filles se dévisagèrent, puis éclatèrent de rire. Jade arriva à cet instant et étreignit Kirsty.

— Tu vas nous manquer, ma chérie.

— Allez, lança Lenore, nous partons. J'ai une représentation, ce soir. Je ne peux pas me permettre d'être en retard.

Toutes quittèrent la chambre et accompagnèrent Kirsty jusqu'au perron. Après les dernières embrassades, elles se séparèrent enfin. Gemma vit Jade regagner l'étage, la tête basse.

Apparemment, quelque chose n'allait pas. Mais il n'était guère facile de parler avec Jade, qui usait de sa personnalité extravertie comme d'une armure. Gemma avait bien essayé de l'interroger la veille, mais son amie avait éludé ses questions d'un éclat de rire plein d'entrain et d'une excuse bien trouvée.

— Je suis fatiguée, c'est tout. Ce travail est plus difficile que je ne le pensais. Je ferais bien d'aller me coucher.

Et elle était montée dans sa chambre. A sa façon, Jade pouvait être aussi difficile à aborder que Nathan.

Gemma fronça les sourcils en songeant à celui qui, dans sept jours exactement, deviendrait son mari. Elle aimait profondément Nathan — en fait, elle était folle de lui —, mais ils n'avaient toujours pas discuté de sujets aussi fondamentaux que la façon dont ils mèneraient leur vie ou simplement l'endroit où ils vivraient. Elle avait été prise de court lorsque Nathan avait annoncé qu'il comptait emménager à Avoca. Puis elle avait compris qu'il s'agissait d'une manœuvre destinée à convaincre Kirsty qu'elle n'avait d'autre choix que de retourner chez sa mère. Gemma, en effet, s'imaginait mal vivre à Avoca alors qu'elle était supposée travailler au magasin du Regency Hotel.

Mais elle n'avait plus eu l'occasion d'un tête-à-tête avec Nathan depuis cet épisode dans sa chambre, trois semaines plus tôt. Ils n'avaient jamais été seuls depuis, à l'exception de deux brefs moments où ils s'étaient croisés dans le hall, puis dans le salon. Et même alors, ils avaient été très vite interrompus. Ce soir, cependant, elle comptait bien découvrir quels étaient les projets exacts de Nathan, même s'il lui fallait aller dans sa chambre pour cela.

L'idée la troubla aussitôt, non parce qu'elle pensait que Nathan essaierait de lui faire l'amour, mais parce qu'elle savait au contraire qu'il ne tenterait rien dans ce sens. L'abstinence s'était avérée aussi difficile qu'elle l'avait supposé et gâchait jusqu'à son sommeil, peuplé de rêves érotiques. Une fois, elle avait même fait un songe effrayant.

Elle s'était vue nue, attachée à une chaise dans la maison de Nathan à Avoca. Frigorifiée, elle l'avait supplié de la détacher.

154

Mais il l'avait d'abord ignorée et avait continué de taper sa nouvelle pièce sur son ordinateur. Enfin, il s'était retourné vers elle et lui avait dit qu'il n'aimait pas les petites filles geignardes. Il lui avait ordonné de se taire et d'attendre son bon vouloir.

Elle s'était réveillée en larmes et n'avait pu se rendormir. Elle savait que ce rêve n'avait aucun sens, mais il avait miné sa confiance en Nathan et en ses propres capacités de jugement.

Elle fonça soudain dans sa chambre et ferma la porte à clé derrière elle. Puis elle s'assit à son bureau pour écrire une longue lettre à Ma. Une lettre dans laquelle elle prit bien soin de ne pas parler de son mariage à venir. Avait-elle peur que sa vieille amie n'essaie de la dissuader ? Ne la force à faire face à une réalité qu'elle se refusait à voir, et qui ne resurgissait que dans ses rêves ?

— Mariés ? répéta Ava, manquant de s'étrangler.

— Mariés ? dit Jade comme si elle entendait le mot pour la première fois.

— Mariés, énonça Byron lentement, tout en acquiesçant d'un air approbateur.

Melanie, qui avait commencé à servir le plat de résistance, se contenta de dévisager Nathan et Gemma.

— Oui, mariés, répondit Nathan en resserrant son étreinte autour des épaules de sa jeune épouse. Nous n'en avons rien dit avant parce que nous ne voulions pas faire d'histoires. Et nous n'en voulons pas davantage maintenant, ajouta-t-il en balayant la tablée du regard. En fait, nous sommes sur le point de partir en lune de miel. Nous passerons le week-end au Regency, puis nous irons à Avoca. A ce sujet, j'ai bien peur que Gemma ne puisse commencer à travailler la semaine prochaine, Byron.

— Bien sûr, Nathan, c'est normal.

Byron se leva et s'approcha d'eux, un sourire ravi aux lèvres. Les trois femmes ne bougèrent pas, et Gemma nota que leurs visages ne reflétaient plus de la surprise, mais de la pitié. « Elles ont peur pour moi », comprit-elle soudain. Pourtant, lorsque Nathan baissa son regard sur elle, elle fut presque certaine d'y voir briller un amour sincère. N'était-ce là que le fruit de son imagination ?

Byron fut soudain devant elle et la tira de ses ruminations en l'étreignant affectueusement.

— Tous mes vœux de bonheur à tous les deux. Cette fois, Nathan, tu as fait le bon choix. Et vous, Gemma… Je ne pourrais rêver meilleure belle-fille. Je sais que Nathan sera heureux, avec vous.

— Nous devons y aller, intervint ce dernier. La limousine nous attend.

— Une limousine ? Ah, je vois que tu as enfin compris comment parler aux femmes !

— Je crois, oui, répondit Nathan avec un sourire mystérieux.

Gemma frissonna de nouveau comme son mari glissait un bras autour de sa taille et la serrait contre lui.

— Dis au revoir à tout le monde, ma chérie.

Gemma s'exécuta, et s'apprêtait à se laisser entraîner vers la sortie lorsqu'elle s'arracha soudain à l'étreinte de Nathan pour aller serrer chacune des trois femmes dans ses bras. Elle murmura « pardon » à l'oreille de chacune avant de rejoindre son mari, les larmes aux yeux.

La limousine l'engloutit dans son habitacle de verre teinté, accentuant son sentiment de claustrophobie et de panique. Une intense tristesse s'abattit brusquement sur elle, et elle s'était mise à pleurer lorsque Nathan monta enfin et ordonna au chauffeur de démarrer. Avec un soupir, il l'attira contre lui et lui caressa les cheveux.

— Vas-y, pleure tant que tu veux. C'est la tension.

Il lui murmura des paroles douces, réconfortantes, rassurantes. Gemma n'aurait su dire comment ils passèrent de la tendresse à la passion. Elle n'entendit pas la cloison remonter pour les séparer du chauffeur, pas plus qu'elle ne sentit Nathan la déshabiller. Puis il fut en elle, comme si c'était la chose la plus naturelle du monde, et ils s'aimèrent jusqu'à atteindre un plaisir sauvage, ravageur, explosif. Lorsque enfin elle retomba, satisfaite et épuisée, dans les bras de celui qui était désormais son mari, ses craintes ne lui semblaient plus qu'un lointain et risible souvenir.

— Heureuse, madame Whitmore ? demanda-t-il tout contre ses lèvres.

— Hmm…, murmura-t-elle.

— Tu ferais bien de t'habiller, dans ce cas. Nous arrivons à l'hôtel.

Jade était étendue sur son lit, fixant le plafond.

Mariés.

Nathan et Gemma étaient mariés. Elle avait peine à y croire. Il l'avait épousée ! Soudain, elle se redressa.

Lenore ! Etait-elle au courant ? Et qu'en était-il de Kirsty ? Elle avait tant espéré que ses parents finiraient par se réconcilier ! Bien sûr, tout le monde savait que cela n'arriverait jamais. Mais tout le monde avait également supposé que Nathan ne se remarierait jamais ! Kirsty prendrait sans doute très mal la nouvelle du mariage de son père. Surtout lorsqu'elle saurait que sa nouvelle femme n'était autre que Gemma, avec laquelle elle avait noué une sincère amitié.

Sautant à bas de son lit, Jade alla rejoindre son père dans son bureau, où il était occupé à lire.

— Papa, dit-elle si brusquement qu'il sursauta. Est-ce que Lenore est au courant ?

Byron fronça les sourcils.

— Je ne sais pas.

— Quelqu'un devrait peut-être la prévenir, tu ne crois pas ?

— Nathan a déjà dû le faire.

— Mais si ce n'est pas le cas ?

— Hmm… Tu as raison. Il fallait que je parle à Lenore, de toute façon. Je vais l'appeler et voir ce qu'il en est.

— D'accord. Tiens-moi au courant. Je vais me préparer un chocolat dans la cuisine.

Byron poussa un soupir comme sa fille quittait la pièce. Bon sang… Et si Nathan n'avait prévenu ni Lenore ni Kirsty ? Une telle attitude serait pour le moins irresponsable. Mais Nathan était parfaitement capable, parfois, de ce genre de comportement.

Byron resta un instant songeur, se remémorant le jour où il avait trouvé Nathan à King's Cross. Il se demandait parfois s'il avait fait le bon choix, le jour où il avait décidé d'adopter le jeune homme. Mais il s'était senti obligé de le sortir de la dépravation et de la corruption dans laquelle il vivait. Comment le laisser dans les griffes de cette affreuse femme ?

Il était fier, quoi qu'il en fût, de la façon dont il avait transformé Nathan. Il en avait fait un homme juste, droit, honnête. Bien sûr, il s'inquiétait parfois du fait que son fils adoptif ne laissait transparaître aucune émotion. Mais Byron savait, pour avoir lu ses pièces, que Nathan avait en lui plus d'émotions qu'il n'en fallait dans une vie humaine. L'écriture n'était peut-être, après tout, que son seul et unique moyen de les exprimer. Peut-être ne savait-il gérer ses relations avec autrui — et plus particulièrement avec les femmes — qu'en se référant instinctivement à ce qu'il avait vécu avant son adoption.

« Non, songea-t-il aussitôt. Je refuse de le croire. Il a changé depuis cette époque. Il a grandi. Et mûri. Et Gemma est la femme qu'il lui faut. Je l'ai su dès le départ. L'innocence de Gemma le sauvera. Il n'osera pas la corrompre. Ou profiter d'elle. En tout cas, je l'espère... »

Etouffant un juron, Byron se leva, et grogna lorsqu'une vive douleur lui poignarda la cuisse. Cette satanée jambe ne guérirait-elle jamais ? Boitant légèrement, il se dirigea vers le téléphone, ouvrit l'annuaire et composa impatiemment le numéro de Lenore. Elle devait être chez elle, puisque sa pièce n'était déjà plus jouée. Les comédies avaient en général moins de succès que les drames.

Lenore répondit à la deuxième sonnerie.

— Lenore, ici Byron. Je voulais t'annoncer quelque chose. A moins que tu ne sois déjà au courant.

— Si vous faites allusion au mariage de Nathan et de Gemma, grommela l'intéressée, oui, je suis au courant. Nathan m'a téléphoné.

— Tu l'as dit à Kirsty ?

— Oui.

— Comment l'a-t-elle pris ?

— Plutôt mal.

— Est-ce qu'il y a quelque chose que je puisse faire ? Ou Jade ? Nous étions inquiets.

— Pas vraiment, non. Au moins, ça a permis à Kirsty d'admettre définitivement l'idée du divorce. Mais elle est furieuse contre Gemma. J'ai essayé de lui faire comprendre que c'était Nathan qui était à blâmer au lieu de cette pauvre Gemma, mais ça n'a servi à rien. Je crois qu'elle se sent trahie.

— Pourquoi dis-tu « pauvre Gemma » ?

— Allons, Byron, vous connaissez Nathan... Pour lui, une femme n'est au mieux qu'un partenaire sexuel, et au pire un jouet.

— Ce n'est pas vrai cette fois-ci, Lenore. Il est amoureux.

— Si c'est le cas, je la plains encore plus. Il va la faire sienne totalement, la vider de son identité. J'ai eu de la chance parce que je n'étais pas amoureuse de lui. Malgré cela, il a réussi à me rendre à ce point esclave de mes sens que je suis restée douze ans avec lui. Mais le sexe n'a pas suffi. J'ai eu besoin d'amour. Et Gemma en aura elle aussi besoin.

— Il l'aime. J'en suis sûr.

— Mais elle ? Est-elle amoureuse ? Ou s'agit-il d'une fascination due à son jeune âge, à la sophistication de Nathan et à ses prouesses sexuelles ? Croyez-moi, il se peut que vous ayez bientôt un nouveau divorce sur le dos.

— Gemma sait ce qu'elle fait, déclara Byron avec obstination, refusant de croire ce qu'il entendait.

— Allons, ne soyez pas ridicule, ce n'est qu'une gamine.

— Je n'aime pas t'entendre parler comme ça.

— Vous n'aimez juste pas qu'on vous contredise, Byron !

— Et toi, tu as la langue trop bien pendue. Tu ne retrouveras jamais personne si tu n'apprends pas à te taire.

— Oh, vraiment ?

Byron perçut l'ironie dans sa voix, et fronça les sourcils.

— Tu as déjà trouvé quelqu'un, c'est ça ? Qui est tombé dans tes filets, cette fois ?

— Ce sont mes affaires.

Le malaise de Lenore, audible au bout du fil, acheva d'inquiéter Byron.

— Qui est-ce ? Je veux savoir.

— Je vous ai dit que ça ne vous regardait pas.

— Dans ce cas, je vais être forcé d'annuler notre petit arrangement.

— Mais vous avez promis !

— Un accord verbal et sans témoins n'a pas valeur de contrat.

Lenore marmonna une série d'insultes bien choisies, avant de reprendre :

— Très bien. Encore que je ne vois pas pourquoi ça vous intéresse à ce point. C'est Zachary Marsden, vous êtes content ?

— Zachary ?

Byron avait un instant redouté qu'il ne s'agisse de Damian Campbell. Il avait en effet vu le cadet des Campbell tourner à plusieurs reprises autour de Lenore, exsudant son charme vénéneux. Damian était connu pour avoir tourné la tête de bien des femmes, particulièrement de femmes mariées. Il était aussi dangereux que sa...

Byron secoua la tête. Bon sang, ne se sortirait-il jamais cette femme de l'esprit ?

— Puis-je te rappeler, reprit-il, que Zachary est un homme marié et heureux ?

Un soupir de frustration lui parvint :

— Zachary est loin d'être heureux. Felicity a demandé le divorce et, l'année prochaine, nous nous marierons. D'ici là, j'aimerais que notre relation reste secrète. Je ne vous ai dit tout cela que parce que vous m'y avez forcée. Si vous le révélez à qui que ce soit, je jure que je viendrai en personne vous casser la figure !

Byron se retint de rire. Il admirait le courage de Lenore. Quant à Zachary... peut-être l'enviait-il un peu. Lenore était une très belle femme, et pour autant qu'il pouvait en juger, sensuelle et passionnée. Elle lui rappelait un peu...

Il crispa brusquement les mâchoires, et déclara :

— Je n'en dirai rien à personne. Et tu auras le rôle principal dans la nouvelle pièce de Nathan. Il ne s'occupera pas de la monter, c'est entendu entre nous. Je te rappellerai la semaine prochaine, dès que j'aurai trouvé un metteur en scène et un théâtre.

— Comment va Kirsty ? demanda Jade à Lenore, tandis qu'elles se promenaient sous les arcades du centre commercial.

Une semaine s'était écoulée depuis le mariage de Nathan et de Gemma. Une semaine durant laquelle personne à Belleview n'avait osé évoquer la chose. L'attitude dominante était l'attentisme.

— Elle va un peu mieux. Elle a reçu une lettre de Gemma qui l'a fait pleurer, mais elle comprend mieux ce qui se passe. J'ai lu la lettre moi-même et elle était très touchante. La pauvre Gemma a peur que nous lui en voulions parce qu'elle a épousé Nathan. Elle est tellement émouvante… Nathan mériterait d'être pendu pour l'avoir épousée.

— Je ne suis pas d'accord. Je suis fière de lui.

Lenore s'arrêta net.

— Fière ?

— Oui. Rien ne l'obligeait à épouser Gemma, et tu le sais aussi bien que moi. Il aurait pu se contenter de profiter d'elle, puis de l'abandonner lorsqu'il en aurait eu assez. Et même si leur mariage ne dure pas, au moins l'avenir de Gemma sera-t-il assuré.

— Mais elle sera brisée.

— Nous verrons bien.

— Qu'est-ce que tu es venue acheter, exactement ? demanda Lenore après une minute d'un silence embarrassé.

— Une tenue à porter samedi prochain. Nous sponsorisons une course de chevaux à Rosehill, et Kyle dit que je dois porter quelque chose de convenable, qui fasse honneur à Whitmore.

Pour éviter le regard pénétrant de Lenore, Jade tourna la tête vers une vitrine.

— Il y a de belles choses dans cette boutique. Qu'en penses-tu ? Tu crois que cette robe bleue m'irait ?

— Pas si tu essaies de plaire à un homme.

162

— Je n'essaie de plaire à personne, riposta sèchement Jade.

— Que s'est-il passé entre le nouveau directeur du marketing et toi ? Tu tiens à garder le secret ?

Jade haussa les épaules, tandis que son moral retombait en chute libre, comme chaque fois que quelqu'un mentionnait le nom de Kyle. Si seulement elle avait pu lui reprocher son attitude… Mais non. Il s'était montré extrêmement poli et aimable, encore que distant, au cours des dernières semaines. Elle avait bien tenté de lui parler, une fois, mais il avait coupé court à la conversation et elle n'avait pas réessayé.

— Tu ne lui plaisais pas ? demanda doucement Lenore.

— Oh, si, je lui plaisais… Mais une nouvelle fois, j'ai tout gâché en lui donnant l'impression que je ne m'intéressais qu'à son corps. Je comprends maintenant que cela ait froissé sa fierté. Je crois aussi, avec le recul, qu'il a eu peur de mettre sa carrière en péril…

Jade dut s'interrompre quelques instants, une énorme boule dans la gorge.

— Je… je ne me suis rendu compte qu'après coup du fait que j'étais amoureuse de lui et que… que j'avais besoin de lui et… Bon sang, quelle idiote je fais !

A son grand dam, Jade fondit en larmes. Lenore glissa un bras compatissant autour de ses épaules secouées de sanglots incontrôlables.

— Ma pauvre chérie…

Elle l'attira dans un coin un peu à l'écart jusqu'à ce que Jade eût enfin recouvré ses esprits.

— Est-ce que… tu serais prête à l'épouser ? demanda-t-elle prudemment.

Jade hocha misérablement la tête.

— Mon Dieu, tu l'aimes vraiment, alors ! Tu as toujours été contre le mariage. Et les enfants ? Tu as également changé d'avis à propos de ça ?

Jade n'avait pas poussé ses réflexions jusqu'à ce point. Mais l'idée d'avoir un enfant de Kyle lui paraissait soudain merveilleuse…

— Tout cela n'a aucune importance, de toute façon. Il ne m'aime pas. Il ne m'a jamais aimée.

— Tu n'en sais rien, Jade. La fierté peut pousser n'importe qui à mentir. Pourquoi ne lui confesses-tu pas tes sentiments ? Juste pour voir ?

— Oh, non, répondit-elle en secouant vigoureusement la tête. Je… je ne pourrai jamais faire ça.

— Pourquoi pas ? Qu'est-ce que tu as à perdre ?

— Son respect. Paradoxalement, je crois avoir réussi à le gagner. Si je lui dis que je l'aime, il s'imaginera que je lui mens dans le seul but de coucher avec lui. Et puis, Kyle est assez grand pour se décider tout seul. S'il veut de nouveau de moi, il me le dira.

— Peut-être. Mais il n'y a aucune raison de ne pas l'aider un peu à prendre cette décision…

Jade fronça les sourcils tandis que Lenore lui souriait d'un air malicieux.

— Viens, nous avons des courses à faire.

14.

— Mon Dieu, Jade ! Quelle transformation ! s'exclama Ava. Je ne t'ai jamais vue si… si…

— Elégante ? suggéra Melanie, pénétrant dans le studio, l'aspirateur dans une main.

— C'est ça. Elégante. Et quel corps ! Je donnerais tout ce que j'ai pour en avoir ne serait-ce que la moitié !

Jade fut prise de court par leurs compliments. Lorsque Lenore lui avait choisi cette robe de dentelle blanche sur de l'organza, elle avait aussitôt protesté. Les tenues classiques ne lui allaient pas. Et cette robe, avec son col haut et ses manches longues, était d'un classicisme à toute épreuve.

— Vous êtes sûre ? demanda-t-elle, toujours hésitante.

Elle l'avait achetée sur l'insistance de Lenore, même si elle avait été horrifiée par le chapeau qui l'accompagnait, le collier de perles et les boucles d'oreilles assorties. Elle se sentait dans la peau d'un membre de la famille royale qui se rendrait aux courses à Ascot. Ou d'une mariée du début du siècle.

— J'espère que je n'aurai pas à marcher, maugréa-t-elle. Ces chaussures me font un mal de chien.

— Elles sont superbes, en tout cas.

— J'espère bien, vu le prix qu'elles ont coûté ! L'ensemble m'a ruinée, ce qui est d'autant plus ridicule que je n'aurai plus jamais l'occasion de le porter.

— On ne sait jamais, dit sa tante d'un ton lénifiant. Tu as un nouveau parfum ? Ça sent très bon. Qu'est-ce que c'est ?

— *Désir*, répondit Jade en rougissant.

Melanie leva un sourcil en accent circonflexe, et esquissa l'un de ses rares sourires.

— Désolée de mettre fin à cette conversation, mais j'ai du travail. Vous êtes superbe, Jade. Tout se passera à merveille.

— Bien sûr, renchérit Ava. Tout ce que tu as à faire, c'est de sourire et de remettre la coupe au vainqueur. Allez, descends et va montrer cette robe à ton père. Tu vas lui couper le souffle.

— Je suis obligée ? grommela Jade.

— Non, intervint Melanie. Il vient de sortir.

— Sortir ? s'étonna Ava. Où est-il allé ?

— Au golf.

— Au golf ? Alors qu'il peine à monter un simple escalier ?

— Il a acheté l'une de ces voitures électriques…

— Vraiment ? Personne ne me dit jamais rien, dans cette maison, se lamenta Ava.

— Il l'a mentionné hier soir, lui rappela Jade. Pendant que tu regardais un film.

— Ah. Eh bien, il vaut mieux ne rien me dire quand je regarde un film. Tu sais comment je suis.

Jade se mit à rire.

— Je le sais, mon chou.

— Par pitié, arrête d'appeler les gens comme ça. Ce n'est pas très sophistiqué.

— Ah bon… D'accord. Je promets solennellement de ne plus le dire, alors.

Elles descendirent ensemble, et venaient à peine d'atteindre le bas des marches lorsque l'Interphone annonça la présence d'un visiteur aux portes de la propriété. Nerveusement, Jade alla répondre.

166

— Kyle, c'est vous ?

— Oui.

— Désolée pour le portail. Je l'ouvre tout de suite.

— Merci.

Il était aussi froid et poli qu'à son habitude. La journée apparut soudain à Jade sous un jour nouveau, pénible et sinistre. Jamais elle n'aurait dû écouter Lenore. Jamais elle n'aurait dû permettre à ses espoirs de renaître.

Elle resta immobile, les yeux fermés, à respirer profondément. Elle devait retrouver son calme. Arborer une mine composée.

— Tout va bien ?

Jade pivota, et rouvrit les yeux sur le visage inquiet de sa tante.

— Oui, bien sûr. Je rêvassais.

— Tu aimes M. Armstrong, pas vrai ?

Jade se raidit.

— Je l'admire, oui.

— Je vois, déclara lentement Ava. Amuse-toi bien, alors.

Quelques coups furent frappés à la porte, et Jade alla ouvrir. Tout son être se crispa lorsqu'elle vit l'homme qu'elle aimait. Le noir de son costume, parfaitement taillé pour ses épaules souples et puissantes, flattait son teint mieux que n'importe quelle autre couleur.

— Tu es un peu en avance, fit-elle valoir avec une crispation involontaire.

Un sourire sardonique apparut sur les lèvres de Kyle.

— Peut-être avais-je hâte de voir ce spectacle de rêve.

Jade se figea, hésitante. Se moquait-il d'elle ? Ou Lenore avait-elle vu juste ?

— Tu... tu aimes vraiment cette robe ?

La question, et le manque de confiance qu'elle trahissait, parurent le dérouter.

— Pas toi ?

— Je ne sais pas si… c'est vraiment moi.

— Même si ce n'est pas toi, surtout ne change rien. Tu es parfaite.

Jade s'empourpra légèrement, et reprit en hâte :

— Je dois aller chercher mon sac. Tu veux entrer ?

— Non, je t'attends ici.

Elle remonta quatre à quatre dans sa chambre, attrapa son sac à main, jeta un dernier coup d'œil étonné et ravi à son miroir, puis regagna le rez-de-chaussée. Sur le perron, Kyle lui prit galamment le coude pour l'aider à descendre les marches. Tandis qu'il l'installait dans le siège passager, Jade s'efforça de ne pas le regarder. Mais elle ne pouvait pas s'empêcher, ce jour-là, de le dévorer des yeux.

— Oui ? demanda-t-il brusquement.

Prise en flagrant délit, Jade rougit.

— Oh, euh, je… rien.

Avec un sourire en coin, Kyle fit démarrer la voiture. Jade s'efforça de regarder droit devant elle, et se promit de ne pas bouger la tête d'un centimètre jusqu'à leur arrivée au champ de courses.

— Jade…, murmura soudain son compagnon comme ils s'arrêtaient à un feu rouge.

— Oui ? répondit-elle sans se tourner vers lui.

— Bon sang, c'est beaucoup plus difficile que ce que je croyais…

— Ça ne devrait pas l'être ! riposta-t-elle brusquement. Je sais pertinemment que tu ne m'emmènes aux courses que parce que tu y es obligé. Je ne me fais aucune illusion, et je ne m'attends pas à ce que tu me traites autrement qu'au travail. Tu as été parfaitement clair sur le fait que tu ne voulais plus rien avoir à faire avec moi, et même si je le regrette, je… je…

Jade refusait de se laisser aller aux larmes, mais elle ne pouvait continuer. Elle en avait déjà trop dit. Elle resta donc silencieuse et se tourna vers la fenêtre, pour fixer sans le voir le paysage. Lorsque la voiture s'immobilisa, elle supposa naturellement qu'ils s'étaient arrêtés à un feu rouge.

— Jade. Regarde-moi.

Elle pivota brusquement vers lui, et découvrit qu'il avait quitté l'avenue principale pour se garer dans une rue annexe.

— Qu'est-ce que tu veux, maintenant ? dit-elle. Tu n'en as pas fait assez ? Tu dois vraiment me torturer ? Me faire souffrir ?

Elle fut stupéfaite de voir l'expression peinée qui, à ces mots, s'était peinte sur le visage de son compagnon.

— Ça a donc été si terrible ? Mon Dieu, je suis désolé, mon amour. Vraiment désolé.

« Mon amour » ? Jade ne comprenait plus rien. A quel jeu cruel jouait-il ? Brusquement, il défit sa ceinture et se pencha sur elle pour l'embrasser doucement, tendrement.

— Je ne voulais pas te faire souffrir, murmura-t-il. Enfin, si… peut-être un peu, au début. C'était la seule façon pour moi d'être sûr. De te faire voir la vérité.

— La vérité ? répéta-t-elle, abasourdie. Quelle vérité ?

— Que tu m'aimais. Que ce n'était pas qu'une affaire de sexe, entre nous.

— Bien sûr que je t'aimais, espèce d'idiot ! explosa Jade. Je le savais ! Mon Dieu, est-ce que ça veut dire que… tu m'aimais aussi ? Si c'est le cas, tu ferais bien de sortir de cette voiture et de te mettre à courir, parce que…

Il l'embrassa de nouveau, lui murmurant cette fois qu'il l'aimait, encore et encore, jusqu'à ce qu'elle fût en larmes sous l'effet d'une joie immense, incoercible.

— Je ne comprends toujours pas pourquoi tu ne m'as pas dit que tu m'aimais avant, déclara-t-elle en reniflant.

— De la même façon que tu me l'as dit ? Réfléchis un peu, Jade. Tu as affirmé que tu adorais faire l'amour avec moi, mais que tu ne voulais ni te marier, ni avoir d'enfants. Tu as également ajouté que, une fois que tu aurais mon poste, je ne servirais plus à rien.

— Mais je… je plaisantais ! Et puis, je ne m'étais pas rendu compte à quel point je t'aimais.

— Exactement. Parce que tout s'emmêlait dans ton esprit. Et j'en étais en partie responsable, à vouloir précipiter les choses. J'ai donc fait machine arrière dans l'espoir que le temps t'aiderait à comprendre. Je pensais que tu étais peut-être amoureuse de moi, mais je n'en étais pas sûr. Je suis désolé de t'avoir fait souffrir, mais j'ai souffert tout autant.

— Mais… j'aurais pu t'en vouloir ! Te détester pour ça !

— Mais ce n'est pas le cas, n'est-ce pas ? demanda Kyle en souriant.

— Quand… quand es-tu tombé amoureux de moi ?

— Je crois que ça a commencé pendant ce dîner chez ton père. Tu te rappelles que je me suis mis à tousser ?

— Oui…

— C'était parce que tu venais juste de me sourire. Un sourire si triste qu'il m'a brisé le cœur. J'aurais voulu pouvoir te prendre dans mes bras, te serrer contre moi. C'est là que j'ai compris que je voulais t'épouser.

— M'épouser ? s'exclama-t-elle. Mais… je croyais que tu avais juste envie de faire l'amour avec moi après ce premier soir.

— Aussi, oui. Et j'ai lutté contre ces deux pulsions. Je me suis dit que je ne pouvais pas coucher avec la fille de mon patron, et encore moins l'épouser. Mais mon subconscient ne devait pas être d'accord, parce que je me suis surpris à te proposer de travailler avec moi, prétendant que c'était pour ton bien.

Il partit d'un rire grave et doux à la fois, avant de reprendre :

— J'ai admirablement tenu jusqu'au vendredi. Mais l'idée que tu pourrais sortir ce soir-là et coucher avec un autre homme, alors que c'était moi que tu voulais, m'a rendu complètement

170

fou. J'ai donc décidé de hâter les choses. Puis je me suis rendu compte que tu n'étais pas du tout ce que tu prétendais être. Au contraire ! Tu étais fragile et vulnérable, tendre et sensible...

— Mais tu as été très clair quant au fait que tu ne m'aimais pas, ce soir-là. Tu m'as dit que tu n'avais jamais été amoureux.

— C'est vrai. J'ai toujours été un type glacial et arrogant. Je n'ai jamais connu l'amour. Mes parents sont morts alors que je n'étais qu'un enfant et j'ai été mis en pension. Il me fallait une personne très spéciale pour me faire tomber amoureux. Pourtant, quand c'est arrivé, je n'ai pas reconnu cette émotion tout de suite, puisqu'elle était nouvelle.

— Mais... pourquoi m'avoir repoussée ? Je ne suis toujours pas sûre de comprendre.

— N'oublie pas ce que tu m'as dit ce jour-là sur le fait que tu ne voulais ni te marier ni avoir d'enfants. Et au moment même où j'ai compris la nature de mes sentiments pour toi, tu m'as dit que je n'étais pour toi qu'un jouet sexuel ! Tu me refusais ce que je désirais le plus : ton amour. J'ai mal réagi et j'en suis désolé. Sur le coup, ma fierté m'a interdit de faire machine arrière...

— Oh, Kyle...

— Et puis, j'ai compris que cela nous serait peut-être profitable. Que, derrière cette façade provocatrice et indifférente, il était possible que tu m'aimes. J'ai également pensé que ta méfiance à l'égard des enfants et du mariage pouvait être due à l'échec du mariage de tes propres parents, et à la façon odieuse dont ta mère t'avait traitée. J'ai donc décidé de tester notre amour. Et nous nous en sommes sortis. Nous nous aimons. Vraiment. Epouse-moi, mon amour. Je te jure que je te rendrai heureuse.

Des larmes troublaient à présent la vue de Jade. La gorge nouée, elle acquiesça.

— Oh, Kyle... Oui, oui, oui !

— Et les enfants ?

— Autant que tu en voudras !

— Tu viens de faire de moi le plus heureux des hommes, murmura-t-il d'une voix rauque.

Jade ne put cette fois contenir ses larmes. Kyle les cueillit une par une sur ses joues, du bout des lèvres.

— Je crois que je viens de saboter mon maquillage ! dit-elle, riant et pleurant en même temps. Devons-nous toujours aller aux courses ?

— Oh, mon Dieu, les courses ! J'avais oublié ! Oui, il faut y aller. Nous ne pouvons pas laisser tomber les gens comme ça. Bon sang, et moi qui espérais… Mais bon, je suppose que ça pourra attendre ce soir…

Avec un mélange de respect, d'amour et d'admiration, Jade dévorait Kyle des yeux tandis qu'il faisait un discours en hommage au vainqueur de la course. A sa place, elle savait qu'elle aurait hésité mille fois, trébuché sur les mots, haché ses phrases de « euh »… et de « ah ». Lui, en revanche, semblait parfaitement à l'aise.

Cet homme allait devenir son mari. Un soupir de bonheur, à cette idée, franchit ses lèvres.

— Mademoiselle Whitmore, lui souffla l'attaché de presse de l'hippodrome. C'est à vous…

Jade prit une profonde inspiration et fit un pas en avant. Elle remit la coupe au vainqueur avant de lui offrir une opale.

— Je ne m'en suis pas trop mal tirée, hein ? demanda-t-elle à Kyle lorsque tout fut fini. Bon, évidemment, ce n'était pas très compliqué… Nous pouvons rentrer, maintenant ?

— Chez toi ou chez moi ?

— Chez nous.

— Chez nous ?

— Tu m'as bien proposé d'emménager avec toi, non ? Que dirais-tu de ce soir ?

— J'aime votre façon de prendre des décisions, mademoiselle Whitmore…

Ils s'apprêtaient à tourner les talons lorsque quelqu'un tapa sur l'épaule de Kyle.

— Kyle, c'est toi ?

Tous deux pivotèrent. Une blonde en tailleur rose éclatant se tenait là, qui dévisageait Kyle d'un air vaguement moqueur.

— Mais oui, c'est vraiment toi !

Elle posa brièvement son regard vert sur Jade, avant de se concentrer de nouveau sur son compagnon.

— Eh bien, monsieur Gainsford, qu'avez-vous à dire pour votre défense ? J'ai attendu ton coup de fil pendant des semaines ! Enfin, je ne suis pas du genre rancunière. Appelle-moi quand tu seras de retour en Tasmanie. Bye !

Sur ce, elle agita mollement sa main fine et s'éloigna d'une démarche chaloupée. Jade, en cet instant, aurait voulu voir le sol s'ouvrir sous ses propres pieds et l'engloutir. Elle n'était pas idiote au point de ne pas savoir additionner deux plus deux. Et le quatre qui en résultait lui donnait la nausée.

— Eh bien, monsieur Gainsford, dit-elle sèchement, si tu me disais ce qu'il en est ? Et j'espère que ton explication sera convaincante !

L'expression de Kyle, cependant, n'était pas celle d'un escroc dont les plans venaient d'être mis au jour. Son sang-froid n'avait pas l'air le moins du monde ébranlé.

— Ne tire pas de conclusions hâtives, Jade. Bon sang, pourquoi a-t-il fallu que nous tombions sur cette imbécile juste aujourd'hui ?

— Je suppose que tu as couché avec elle ? Tu t'es également servi d'elle ?

— Si quelqu'un s'est servi de l'autre, c'est bien elle ! C'est une véritable croqueuse de diamants.

— A qui la faute ? Tu t'es apparemment fait passer pour ton ami pour lui faire croire que tu étais riche. Mais avec moi, les rôles sont inversés. Dis-moi, Kyle, c'est moi ou la société Whitmore qui t'intéresse ?

— Toi.

— Vraiment ? Je ne suis pas riche, pourtant.

— Mais moi, je le suis. Je m'appelle bien Gainsford. Je suis probablement l'un des hommes les plus riches d'Australie.

— Quoi ?

— Tu n'es pas obligée de me croire sur parole, évidemment. Mais avant de continuer à raconter des bêtises, laisse-moi t'expliquer certaines choses. Ce que j'aurais fait avant la course, si j'en avais eu le temps.

Jade le dévisagea en silence, encore sous le choc. Kyle soupira.

— Ça va sans doute te sembler étrange mais c'est la vérité. J'ai pris une fausse identité afin de pouvoir trouver un travail normal, et mener une vie normale. Je voulais découvrir une femme qui m'aimerait pour ce que je suis et pas pour ma fortune.

Jade continua de le fixer béatement, comme une biche prise dans la lumière des phares. S'assombrissant soudain, Kyle l'attira à lui.

— Tu entends ce que je te dis ? Je voulais me marier et fonder une famille, mais je voulais être sûr que ma femme m'aimerait. Moi, et non mon compte en banque. Cette femme, je l'ai trouvée. Et je n'ai pas l'intention de la laisser partir !

Jade avait toujours du mal à assimiler l'information, même si la sincérité de Kyle était évidente. Mais quelle histoire incroyable ! Elle aurait sans doute dû lui en vouloir pour cette tromperie, cependant elle était profondément touchée. L'enfance de Kyle paraissait avoir été aussi difficile que la sienne. Et tout aussi dénuée d'amour. Il n'était guère étonnant qu'ils eussent été attirés l'un par l'autre !

— Il… Il n'y a pas de mystérieux M. Gainsford, alors ? C'est toi ?

— Oui.

— Alors… ce soir-là, sur le bateau, c'est de toi que tu parlais ?

De nouveau, il acquiesça.

— Pourquoi avoir choisi Armstrong ?

— C'est le nom de mon secrétaire. Eh oui, un homme, ajouta-t-il avec un sourire. C'est lui qui m'a appelé au bureau. Pas une femme.

— Oh…

Puis Jade fronça les sourcils comme une idée lui traversait l'esprit.

— Si tu es si riche, pourquoi ton nom ne m'est-il pas familier ?

— Mes parents étaient américains. Mais à ma naissance, ils ont reçu des menaces d'enlèvement qu'ils ont prises au sérieux. Ils sont partis pour la Tasmanie. Malheureusement, un énorme incendie s'est déclenché peu après dans le bush. Ils ont péri, et j'ai survécu par miracle. A six mois, je me suis retrouvé héritier de millions de dollars. J'ai grandi sans jamais manquer de rien, sauf d'affection. Un jour, je me suis rendu compte du grand vide qu'était ma vie, et j'ai su immédiatement ce que je devais faire. Je suis parti à la recherche de l'amour. Et je l'ai trouvé.

— Est-ce que… mon père est au courant de tout ça ?

— Non, il n'en sait rien.

— Seigneur… Il va être furieux en apprenant la vérité.

— Il n'a pas besoin de l'apprendre tout de suite. J'aime travailler pour sa société. J'aimerais que nous redressions tous les deux l'entreprise. Nous en sommes capables.

— Bien sûr. Mais il sera quand même furieux, en fin de compte.

— Pas si tu lui offres à la fois un beau-fils et un petit-fils.

— Un… un petit-fils ?

— Je compte fonder une famille, Jade. Et sans tarder.

— Je… je veux toujours faire carrière chez Whitmore.

— Je le sais. Et je ne te demanderai jamais d'y renoncer. Je t'aiderai même autant que possible. Je crois que je peux t'offrir une nounou ou deux.

— Nous pourrions essayer dès ce soir, alors ? suggéra-t-elle avec émotion.

— Tu ne prends plus la pilule ?

— Non, j'ai jeté la boîte après notre… rupture.

— Mais tu dois finir ton année à l'université.

— Bon, dans ce cas, nous pourrions peut-être nous entraîner un mois ou deux pour être sûr de marquer un but le moment venu.

Kyle se mit à rire, et la serra dans ses bras.

— Je t'aime, tu sais ça ?

— Je l'espère bien. Mais le plus dur reste à venir.

— Quoi.

— Il va falloir le prouver…

15.

En ce lundi, la plage d'Avoca était presque déserte. Les vacanciers du week-end étaient repartis, et, par ailleurs, le temps avait changé la nuit passée, ce qui n'incitait guère à s'y promener. Un vent glacial venu de l'Antarctique s'était mis à souffler, peu après minuit. Gemma se rappelait très exactement l'heure car elle ne dormait pas encore. Elle se trouvait seule dans son lit. Une fois de plus.

Baissant la tête, elle avança le long du rivage, avec le vague espoir que la brise réveillerait son esprit engourdi et lui permettrait de se concentrer sur la réalité. Avait-elle trop espéré de ce mariage ? Avait-elle déifié Nathan au point d'en oublier qu'il n'était qu'un être humain ?

Elle s'arrêta et fixa la mer, ses cheveux lui fouettaient le visage. Le vent creusait des vagues impressionnantes sur les flots, frangées d'une écume grise. Il était hors de question de s'avancer jusqu'à la jetée. A moins de vouloir se suicider.

Gemma frissonna, et secoua la tête. Quelle idée ! Tout n'allait quand même pas si mal. Il était normal qu'un jeune couple eût à faire des compromis après la période de grâce de sa lune de miel.

Mais voilà : leur lune de miel n'était pas censée être terminée. Ils n'étaient mariés que depuis deux semaines. Et ce n'était pas parce que Nathan s'était mis à écrire…

Un sourire amer apparut sur ses lèvres. Elle s'était réveillée deux jours plus tôt vers 4 heures du matin, parce qu'elle avait froid. Nathan n'était plus là. Elle avait passé une robe de chambre et était descendue jusqu'à la cuisine, déserte. Peut-être était-il dans la salle de bains… En remontant dans sa chambre, elle avait vu de la lumière filtrer sous la porte du bureau. Surprise, elle était entrée et l'avait trouvé, pianotant sur son clavier comme un possédé. Il avait bien mis une minute à s'apercevoir de sa présence.

— Quoi ? avait-il demandé sèchement.

— Je… je ne savais pas où tu étais et…

— Eh bien, maintenant, tu le sais. Je suis là et, comme tu peux sans doute le voir, je travaille !

Gemma avait été si interloquée par son agressivité qu'elle en était restée sans voix.

— Retourne te coucher, avait-il ordonné, les yeux de nouveau sur l'écran, ses doigts volant sur les touches. Et ferme la porte en sortant.

Elle s'était retirée, se répétant qu'il n'y avait pas de quoi s'inquiéter, que Nathan n'avait rien contre elle. Elle l'avait dérangé dans un moment important, et savait depuis longtemps, par Kirsty, qu'il pouvait se comporter bizarrement lorsqu'il écrivait.

Bien décidée à ne pas se laisser démoraliser par cet incident, elle était allée se préparer un chocolat chaud avant de se recoucher, certaine que Nathan allait la rejoindre. A présent qu'ils étaient mariés, en effet, il ne la laissait jamais seule très longtemps et lui faisait l'amour avec un appétit apparemment insatiable.

Mais il ne l'avait pas rejointe. C'était de nouveau seule qu'elle s'était réveillée, le jour venu. Cependant, le pire était encore à venir. Car Nathan avait passé toute la journée du dimanche enfermé dans son bureau, et il lui avait fait grise mine la seule fois où elle s'y était aventurée pour lui proposer à manger.

— Ce n'est pas le moment, avait-il fait valoir avec irritation. Il faut que je finisse cette scène. Pourquoi ne vas-tu pas faire un tour ? Je ne devrais pas en avoir pour très longtemps.

En fin d'après-midi, Gemma était passée de l'abattement à la déprime. Etait-ce à cela que ressemblerait leur mariage, à partir de maintenant ? N'aurait-elle comme autre option que de voir défiler les heures de la journée, puis celles de la nuit ?

Elle n'avait même pas l'espoir d'avoir des enfants qui l'occuperaient, car Nathan avait affirmé qu'il n'en voulait pas avant deux ans. « Il faut que nous apprenions à nous connaître », avait-il ajouté.

Et comment apprendraient-ils à se connaître s'il passait ses journées enfermées dans son bureau ? A dire vrai, elle ne savait pas grand-chose de lui. Depuis leur mariage, ils avaient passé la plupart du temps à faire l'amour, manger et dormir. Physiquement, ils avaient atteint une fusion parfaite, et Nathan n'avait qu'à poser les yeux sur elle pour éveiller son désir. Mais la complicité sexuelle était-elle de la complicité tout court ? Elle aurait tant aimé connaître le cœur de Nathan aussi bien que le corps de celui-ci.

Gemma s'était endormie seule et malheureuse le dimanche soir, réveillée aussi seule et plus malheureuse encore le lendemain. Puis une soudaine colère s'était emparée d'elle et elle avait foncé, sans réfléchir, dans le bureau de son mari.

Nathan était endormi sur le canapé. La colère de Gemma s'était aussitôt dissipée tant il paraissait vulnérable, recroquevillé pour lutter contre le froid, ses cheveux en bataille et ses joues recouvertes d'une barbe naissante. Avec un sourire tendre, elle était allée chercher une couverture et l'en avait recouvert. Elle n'avait pu s'empêcher, au passage, de lui caresser le front. Avec un grognement et un soupir, Nathan s'était retourné, sans pour autant se réveiller. Seigneur, comme elle l'aimait… Quelle idiote elle était de s'offusquer pour deux jours d'écriture un peu fébrile !

Elle s'apprêtait à sortir lorsqu'elle avait avisé les pages imprimées qui étaient tombées à terre. Décidément, Nathan était bien un homme. Secouant la tête, elle les avait ramassé et s'apprêtait à les ranger près de l'ordinateur lorsque le titre de la pièce avait attiré son attention.

« L'Eveil de l'Ombre. »

Intriguée, elle s'apprêtait à tourner la page lorsque les feuillets lui avaient été arrachés des mains.

— Personne ne peut lire sans mon autorisation, avait décrété Nathan d'un ton cinglant.

Elle s'était contentée de le fixer, effarée par la froideur de son regard. Son père l'avait déjà dévisagée comme ça… Souvent.

Soudain, Nathan avait soupiré et l'avait attirée contre lui en une étreinte farouche.

— Ne me regarde pas comme ça, avait-il dit d'une voix rauque. Je suis désolé. Je ne voulais pas être si dur. Rappelle-toi ça, Gemma : lorsque j'écris, je ne suis plus moi-même.

— Ne t'inquiète pas, avait-elle menti. Ça ne me dérange pas.

— Je sais que je t'ai négligée, avait-il grommelé en lui redressant le menton. Mais je vais me rattraper. Je te le promets. Dès que j'en aurai fini avec cet acte, je serai de nouveau à toi.

Cela s'était passé six heures plus tôt. A la fin, incapable de supporter l'atmosphère confinée de la maison plus longtemps, Gemma s'était rendue en ville et avait fait sans enthousiasme les boutiques. Puis elle s'était dirigée vers la plage, dans l'espoir de trouver un sens à ce qui lui arrivait.

Une rafale de vent froid la transperça et la ramena soudain à la réalité. « Il faut que je rentre, songea-t-elle. Que je retourne dans cette affreuse maison. »

En faisant demi-tour, elle déambula le long des boutiques luxueuses situées de l'autre côté de la plage. Passant devant l'unique cinéma d'Avoca, elle remarqua qu'un film était sur le point de commencer. Elle s'acheta donc un ticket, tout en sachant que c'était dans le seul but de repousser la confrontation avec Nathan. De fait, il lui fallut subir un navet d'une violence et d'une bêtise effarantes. Elle compta quarante-quatre morts, et ne se sentait guère plus valide qu'eux lorsqu'elle quitta enfin la salle.

A pas lents, elle entama l'ascension de la butte sur laquelle se trouvait la maison. Elle venait à peine d'atteindre le perron lorsque Nathan en jaillit comme un diable de sa boîte et vint la prendre par les épaules pour la secouer.

— Gemma ! Où étais-tu, bon sang ? Je t'ai cherchée partout ; j'étais mort d'inquiétude ! J'ai failli appeler la police.

Etrangement, cette réaction l'agaça.

— Vraiment ? dit-elle en se dégageant et en s'avançant à l'intérieur pour gagner le salon. Je suis allée voir un film.

Elle voulut s'asseoir, mais Nathan la prit de nouveau dans ses bras et la serra contre son cœur avec une force à couper le souffle.

— Tu ne comprends pas. J'ai cru que tu étais allée te promener sur les rochers. Et avec ce vent… Si quelque chose t'arrivait, j'en mourrais.

— Tu n'avais pas l'air de t'en soucier à ce point pendant que tu écrivais, remarqua-t-elle avec cynisme. Autant que tu le saches tout de suite : je n'ai pas l'intention de passer le reste de ma vie comme ça.

Nathan la relâcha alors abruptement et fit un pas en arrière.

— Tu me quittes, c'est ça ? s'enquit-il d'une voix blanche.

Gemma en fut stupéfaite, mais la bulle de colère qui était montée en elle se dégonfla aussitôt.

— Qu'est-ce que tu racontes ? Bien sûr que non, je ne te quitte pas ! Je parle de ne rien faire pendant que tu écris. Je comprends parfaitement que tu aies besoin de solitude et de concentration. Mais rien ne m'oblige à rester assise, les bras ballants.

Un mélange de joie et de soulagement éclaira les traits de Nathan.

— Non, bien sûr. Pardonne-moi, mon amour, je me suis montré égoïste. Ecoute, je vais nous acheter un appartement en ville. Nous y passerons la semaine, et nous pourrons venir le week-end ici. Qu'est-ce que tu en dis ?

Quelque peu étourdie par la rapidité avec laquelle il avait résolu le problème, elle acquiesça.

— Ce serait merveilleux…

— Ce sera merveilleux. Parce que j'ai une femme formidable, et que je compte sur elle pour me le rappeler si jamais je devais encore l'oublier !

Gemma sourit et, doucement, lui caressa la joue.

— Tu as besoin de te raser.

— Et de prendre un bain. Tu te joins à moi ?

— Hmm… Tu es terrible, tu sais ça ?

Nathan plissa les yeux, tout en les baissant sur ses lèvres.

— Oui, je sais. Dis, je t'ai manqué ?

— Oui.

— Tu as envie de moi ?

— Oui.

— Dis-moi que tu m'aimes.

— Je t'aime…, répéta-t-elle.

Alors, avec un sourire lourd de promesses, Nathan la prit dans ses bras et l'emmena jusqu'à la salle de bains…

Bas les pattes ! par Lois Greiman - n°9

Lui : Daniel MacCormick, écrivain célèbre, un brin coincé, dévoré par la peur de la feuille blanche, a cruellement besoin de calme et de repos…

Elle : Jessica Sorènson, vétérinaire survoltée, jeune femme à l'énergie inépuisable, s'épanouit au grand air en se dévouant pour les êtres qu'elle aime.

Elle et Lui : tout se complique quand *il* décide de venir se ressourcer chez *elle* ! En fait de repos, il se voit dérangé par toutes sortes d'animaux incongrus et de bruits parasites… Quant à Jessica, elle tente en vain d'accomplir sa tâche malgré la présence d'un homme renfrogné et bourru, qui ne cesse de critiquer son mode de vie…

Chère lectrice,

Vous nous êtes fidèle depuis longtemps?
Vous venez de faire notre connaissance?

C'est pour votre plaisir que nous avons
imaginé un rendez-vous chaque mois
avec vos auteurs préférés, vos
AUTEURS VEDETTE dans les
collections Azur et Horizon.

Les **AUTEURS VEDETTE** vous
donneront rendez-vous pour de
nouveaux livres vedette.

Pour les reconnaître, cherchez
l'étoile ... Elle vous guidera!

Éditions Harlequin

LE FORUM DES LECTEURS ET LECTRICES

CHERS(ES) LECTEURS ET LECTRICES,

VOUS NOUS ETES FIDÈLES DEPUIS LONGTEMPS?

VOUS VENEZ DE FAIRE NOTRE CONNAISSANCE?

SI VOUS AVEZ DES COMMENTAIRES, DES CRITIQUES À
FORMULER, DES SUGGESTIONS À OFFRIR, N'HÉSITEZ
PAS… ÉCRIVEZ-NOUS À:
      LES ENTERPRISES HARLEQUIN LTÉE.
      498 RUE ODILE
      FABREVILLE, LAVAL, QUÉBEC.
      H7R 5X1

C'EST AVEC VOS PRÉCIEUX COMMENTAIRES QUE NOUS
ALLONS POUVOIR MIEUX VOUS SERVIR.

DE PLUS, SI VOUS DÉSIREZ RECEVOIR UNE OU
PLUSIEURS DE VOS SÉRIES HARLEQUIN PRÉFÉRÉE(S)
À VOTRE DOMICILE, NE TARDEZ PAS À CONTACTER LE
SERVICE D'ABONNEMENT; EN APPELANT AU
(514) 875-4444 (RÉGION DE MONTRÉAL) OU 1-800-667-4444
(EXTÉRIEUR DE MONTRÉAL) OU TÉLÉCOPIEUR
(514) 523-4444 OU COURRIER ÉLECTRONIQUE:
AQCOURRIER@ABONNEMENT.QC.CA OU EN ÉCRIVANT À:
      ABONNEMENT QUÉBEC
      525 RUE LOUIS-PASTEUR
      BOUCHERVILLE, QUÉBEC
      J4B 8E7

MERCI, À L'AVANCE, DE VOTRE COOPÉRATION.

BONNE LECTURE.

HARLEQUIN.

VOTRE PASSEPORT POUR LE MONDE DE L'AMOUR.

ROUGE PASSION

De fiévreuses histoires d'amour sensuelles!

De provocantes histoires d'amour passionnées et romantiques qu'on lit d'une seule traite. Aventureuses, parfois humoristiques, et sensuelles, elles mettent en vedette des hommes et des femmes d'aujourd'hui.

ROUGE PASSION... quatre nouveaux titres chaque mois.

COLLECTION
HORIZON

Des histoires d'amour romantiques qui vous mènent au bout du monde!

Découvrez la passion et les vives émotions qu'apportent à la Collection Horizon des auteurs de renommée internationale!

Captivantes, voire irrésistibles, ces histoires d'amour vous iront assurément droit au coeur.

Surveillez nos quatre nouveaux titres chaque mois!

HARLEQUIN

En août, on vous tente avec un livre SUPER PASSION de la série Rouge Passion.

Les livres SUPER PASSION sont un peu plus sensuels et excitants, mais toujours l'amour triomphe des contraintes, de dilemmes et vient réchauffer votre coeur comme une caresse.

Une histoire SUPER PASSION chaque mois, disponible là où les romans Harlequin sont en vente !

RP-SUPER

Composé et édité
PAR LES ÉDITIONS HARLEQUIN
Achevé d'imprimer en février 2003

BUSSIÈRE
GROUPE CPI

à Saint-Amand-Montrond (Cher)
Dépôt légal : mars 2003
N° d'imprimeur : 30181 — N° d'éditeur : 9760

Imprimé en France